La foi chrétienne aux prises
avec la mondialisation

DU MÊME AUTEUR

La Cause des pauvres, Éd. du Cerf, 1991, nouvelle édition 1996.
Les Pauvretés à la lumière de la Bible. Dix fiches bibliques pour des groupes de travail, Éd. de l'Atelier, 1995.
J'avais faim... Une théologie à l'épreuve des pauvres, Desclée de Brouwer, 1995.

En collaboration

Les Pauvres, un défi pour l'Église, sous la direction de Claude Royon et Roger Philibert, Éd. de l'Atelier, 1994.
Guerre économique. L'heure de la résistance, sous la direction de la COTMEC (Commission Tiers Monde de l'Église catholique à Genève), Éd. Saint-Augustin, 1997.
Sagesse indigène. La théologie indienne latino-américaine, sous la direction conjointe de Eleazar López Hernandez, Éd. du Cerf, 2001.
Contribution à l'avenir du christianisme, sous la direction de Martine Sevegrand, Desclée de Brouwer, 2003.

ALAIN DURAND

LA FOI CHRÉTIENNE
AUX PRISES
AVEC LA MONDIALISATION

L'histoire à vif

LES ÉDITIONS DU CERF
www.editionsducerf.fr

PARIS

2003

© *Les Éditions du Cerf*, 2003
www.editionsducerf.fr
(29, boulevard La Tour-Maubourg – 75340 Paris Cedex 07)

ISBN 2-204-07256-7
ISSN 0299-2833

PRÉFACE

Les préfaces possèdent bien des natures ! Certaines tombent dans l'utilitaire en couvrant un ouvrage d'une notoriété empruntée ou d'une science reconnue. D'autres proviennent de complaisance qui ne peut se refuser ou de conventions quasi obligatoires ! Il en reste cependant qui se laissent porter par un accord réel avec le livre présenté, parce que cet ouvrage conduit plus loin la pensée du signataire de la préface. En ce cas, les pages introductrices reconnaissent qu'étant parvenu à un point de sa réflexion, leur auteur est stimulé à progresser par le texte qu'il présente. Tel est bien le cas de cette préface : la lecture de ce livre m'a conduit vers un approfondissement de quelques notions utiles pour réfléchir à la mondialisation.

Le premier concept à creuser concerne l'universel : la mondialisation représente une forme d'universalité. Le Moyen Âge s'était passionné philosophiquement sur ce thème. La problématique a changé. Elle dépend de réseaux commerciaux, du marché unique, des circuits financiers. En cela, elle semble plus matérialiste. Rien n'est moins sûr. En effet, les réflexions sur l'universel obligent aujourd'hui à s'interroger sur ce type de relation à un principe unique, à l'Un. Quelle idée de l'Un favorise comme allant de soi l'expansion d'un marché et d'une culture donnés ? La culture technique a favorisé le marché et le marché véhicule la culture. Mais de quelle nature se prévaut le pouvoir de cet Un à tout envahir ? L'impérialisme est-il la conséquence inéluctable d'un principe unique qui diffuse partout ce qui est bien pour lui ? À la limite – et cette limite est atteinte – l'Un qui se répand ne sème-t-il pas la mort de ce qui n'est pas lui ? Est-il alors même pensable ? Son secret ne coïncide-t-il pas avec le pouvoir qui le range à son service ?

Une affirmation décisive de l'ouvrage d'Alain Durand rappelle clairement que, pour la foi chrétienne, l'Un est communion. Il enclôt plusieurs. Cette pensée trinitaire apporte une grande fécondité aux rapports entre civilisations et peuples. Le Dieu de la Bible s'abstrait de la multiplicité des idoles pour permettre la révélation d'une unité qui se tient dans des relations personnelles. L'Un est échange. Historiquement, cette découverte appelle non pas à partir d'une seule culture extensive, mais à construire des relations qui expriment entre les hommes une unité de communion. Le pouvoir ne s'impose plus à partir d'un pôle. La capacité à devenir ensemble auteur de l'histoire compte davantage.

Ce premier concept amène aussitôt à s'interroger sur l'homme. Dans ce livre sont inscrites de fécondes notations sur l'autre comme symbole de la découverte de Dieu. Il reste cependant que le face-à-face du sujet et de la mondialisation entraîne fatalement la noyade du premier dans un océan sur lequel il n'a aucune prise. L'homme agit à échelle d'homme. La concentration du pouvoir écrase les relations et les responsabilités dans des organisations pyramidales ou dans des systèmes anonymes. Ceux-ci indiquent l'urgence de penser des médiations politiques, régionales, culturelles, afin de sauvegarder les décisions des hommes sur leur avenir. Faire coïncider les individus et le mondial est insoutenable. Le néolibéralisme a tout intérêt à garder cette inégale confrontation. D'où l'urgence de politiques qui sauvent non tant la liberté d'expression que l'efficacité de l'expression. Là encore la foi parle : en libérant des esclaves, Dieu les prend comme alliés, comme partenaires de son dessein et responsables de leur liberté.

Enfin, la mondialisation actuelle – celle qu'on présente comme un fait établi – oblige à s'interroger sur la vraie finalité des productions de richesses. Certes, les pauvres profitent des miettes du festin, mais si tardivement que le menu a le temps de beaucoup changer. La richesse est devenue une rapidité. La lenteur exclut. Le miséreux n'a pas le temps de voir venir ce qui lui arrive. Partir des pauvres, comme le suggère ce livre, devient une question de rythme. La distribution des revenus se fait au titre de la tranquillité sociale, ce qui prend du temps. La libération actuelle demande, elle aussi, d'être faite « en temps réel », sinon son retard maintient encore la dépendance. La foi proclame « l'aujourd'hui de Dieu ». Dieu est impatient dans les pauvres. L'urgence d'un sursaut de solidarité demande à agir au rythme même de la vitesse des innovations. Le social n'est pas une conséquence plus ou moins tardive de l'économique. Il n'en est plus l'accompagnateur dans l'ombre. Il en est le pilote. C'est bien ce que présentent les courants « altermondialistes ».

L'analyse d'Alain Durand est lucide et précise. Elle montre nettement que la foi possède une force capable d'analyser comme un veilleur d'humanité et d'intervenir pour la libération des hommes. En affichant la liberté d'entreprendre, d'entrer dans le système du marché et d'en sortir, le libéralisme réduit la liberté à celle des puissants. Une liberté censitaire sous les habits du droit commun. L'abus de langage est flagrant. La foi doit parler. Non pas seulement pour procurer ce « supplément d'âme » que recherchait déjà le jeune homme riche de l'Évangile, mais en servant d'autres relations, des relations humanisantes. En cela, ce livre conduit à réfléchir au dessein de Dieu tel que les écrits du Nouveau Testament le présentent. L'élan le plus spirituel est, chrétiennement, le plus incarné. La foi chrétienne est aux prises avec le défi. Il l'oblige à puiser dans ses origines une active fidélité.

ALBERT ROUET,
archevêque de Poitiers.

1

Un point de vue chrétien

Les chrétiens ont-ils une parole à dire sur la mondialisation, qui soit originale en vertu même de leur foi ?

Cette question renvoie directement à une autre interrogation : « La Parole de Dieu a-t-elle quelque chose à nous
dire sur la mondialisation ? » Cette interrogation est quelque peu déconcertante car la Parole de Dieu ne date pas
d'aujourd'hui – les Saintes Écritures sont closes depuis
longtemps –, alors que la mondialisation est un fait largement moderne. Comment la Bible pourrait-elle dire quelque
chose sur une réalité qui lui est étrangère ? C'est aussi une
question tout à fait passionnante parce qu'elle est un défi,
une provocation lancée à notre foi et à la réflexion théologique. Il s'agit de savoir si la foi a en elle des ressources
pour faire face à cette situation. S'il s'avérait que la foi
n'avait rien à dire, il y aurait de quoi nous inquiéter car cela
signifierait qu'elle ne peut que rester étrangère à un phénomène majeur de notre temps.

Quelle méthode peut-on utiliser pour aborder cette question ? Karl Barth aurait déclaré que la théologie se fait avec
la Bible dans une main et le journal dans l'autre. Ce propos
montre bien les deux pôles qu'il faut articuler. Mais une
autre question se pose immédiatement : « Quel journal lit-
on ? » Suivant que l'on fréquente *Le Figaro*, *La Croix*,

L'Humanité ou *Le Monde diplomatique*, on ne lit pas la réalité exactement de la même façon et l'on ne va donc pas faire tout à fait la même théologie. Il faut bien le dire au départ : ce qui va conditionner le discours qui sera ici tenu, c'est bien une certaine lecture de la réalité, lecture qui peut être discutable comme toute lecture, qui sera nécessairement particulière, partagée par les uns, critiquée par les autres. La parole citée de Karl Barth évoque celle d'un évêque argentin, tragiquement disparu au temps de la dictature, Mgr Angelleli qui aimait dire qu'il faut ouvrir ses deux oreilles, l'une pour écouter le peuple, l'autre pour entendre l'Évangile [1].

Quelle méthode suivre pour aborder théologiquement la question de la mondialisation ? Ce n'est pas ici le lieu de développer des questions de méthode, mais il est nécessaire d'indiquer ce qui est sous-jacent à la réflexion qui va être proposée : c'est « la méthode de corrélation », expression de Paul Tillich, théologien allemand qui a fui son pays au temps du nazisme et s'est réfugié aux États-Unis où il a enseigné.

Utiliser la méthode de corrélation, cela veut dire tout d'abord qu'il ne s'agit pas de procéder de façon déductive à partir de la Parole de Dieu. On ne fait pas de la théologie simplement en déduisant des vérités à partir d'un autre ensemble de vérités supérieures, qu'il s'agisse de dogmes, du *Credo* ou de la Bible. Ce n'est pas non plus une méthode inductive, c'est-à-dire qui partirait simplement de

---

1. Au cours du témoignage qu'il a donné au Forum social mondial 2003 de Porto Alegre, Gustavo Gutiérrez, le principal artisan de la théologie de la libération, déclarait dans le même sens : « Seuls des gens insérés dans la pratique peuvent penser et réfléchir théologiquement ; la théologie se situe à l'intersection de la foi chrétienne et de la pensée, de la culture, des sentiments, des comportements des gens à un moment historique déterminé... Pour moi, faire de la théologie, c'est écrire une lettre d'amour au Dieu auquel je crois et au peuple auquel j'appartiens... » Voir le texte intégral publié dans DIAL (Diffusion de l'information sur l'Amérique latine, 38 rue du Doyenné, 69005 Lyon) Dossier 2645.

la réalité pour saisir un certain nombre de vérités qu'il nous faudrait penser. Dans la première moitié du siècle dernier, et même encore quelques décennies plus tard, la théologie généralement pratiquée et enseignée était déductive. Ultérieurement, on a vu apparaître une théologie inductive, plus concrète. Ici, il ne s'agit ni d'une démarche déductive ni d'une démarche inductive, mais il s'agit de mettre en regard l'une de l'autre la Parole de Dieu et la situation actuelle. Il s'agit de laisser parler la Parole à partir du terrain actuel et de la laisser parler sous la direction des questions que contient notre situation. Mais il s'agit aussi de laisser notre expérience s'éclairer de façon inédite à partir de la Parole qui nous est adressée. Autrement dit, ce n'est un mouvement ni de déduction, ni d'induction, mais d'interactions réciproques entre la Parole et la situation, c'est une interface permanente. Les deux termes en jeu, notre situation et la Parole de Dieu, sont mis en relation de telle sorte que chacun est affecté par l'autre sans y perdre son autonomie. Il y a, comme le dit Tillich, une « mutuelle interdépendance » entre les deux pôles [1]. Cette méthode est « circulaire » : la question affecte la réponse et la réponse renouvelle en retour la question qui, de nouveau, suscitera une nouvelle lecture. J'ai donc essayé de laisser jouer ce mouvement de corrélation active et d'en recueillir quelques fruits. Dans cette méthode, que l'on commence par un bout ou par un autre, par la situation actuelle ou par la Parole de Dieu, par le journal ou par la Bible, n'a pas grande importance, car l'essentiel se trouve dans l'entrecroisement des deux. Telle est, brièvement indiquée, la méthode sous-jacente à ce travail.

Il ne s'agit pas ici de présenter une fois de plus ce qu'est la mondialisation, avec force chiffres à l'appui. Ce travail a été

1. Paul TILLICH, *Systematic Theology*, vol. I, The University Chicago Press, 1950, p. 60 (trad. *Théologie systématique*, Éd. Planète, 1970, p. 124).

fait de nombreuses fois et d'innombrables livres paraissent sur la question, auxquels il est aisé de se référer. Je ferai une seule remarque préalable : la mondialisation ne sera pas ici envisagée uniquement sous l'angle économique, mais comme un phénomène pluridimensionnel. La mondialisation traverse toute l'épaisseur de nos vies, de l'économique au religieux, en passant par le domaine de la technique, de la culture, du droit, de la communication et même celui des pratiques mafieuses...

L'objectif poursuivi est de dépasser, dans toute la mesure possible, un discours simplement éthique sur la mondialisation. Il s'agit de manifester, plus souvent de suggérer, quelques-uns des enjeux de la mondialisation pour la foi elle-même. Sans doute, une bonne partie de ces enjeux s'exprime aussi dans un langage éthique qui reste une médiation indispensable au discours de la foi, mais il s'agit ici d'esquisser, chaque fois que cela sera possible, dans quelle mesure le visage de Dieu est lui aussi concerné. Cela peut paraître étonnant au départ, puisque la mondialisation est un processus interne à notre monde qui devrait laisser intact la réalité transcendante de Dieu. En christianisme, les choses ne sont pourtant pas aussi simples, puisqu'il y est question fondamentalement d'un Dieu qui est Dieu-pour-nous, et non d'un Dieu retiré du monde. La mondialisation touche au visage historiquement construit de Dieu, dont il n'est pas possible de dire qu'il serait simplement distinct de son vrai visage. Dieu est réellement atteint. Son visage, et pas simplement une image extérieure à lui-même, est véritablement blessé par ce qui se déroule parmi nous. Pour les croyants, il est indispensable de percevoir que ce n'est pas seulement leur comportement éthique qui est en jeu dans l'ensemble des processus qui constituent la mondialisation, mais leur foi elle-même, leur foi en Dieu. Le défi peut paraître grandiose, et la réponse qui lui est ici donnée en quelques pages sera fort modeste et, j'ose le dire, sans prétention. Si ces quelques pages contribuent simplement à stimuler la réflexion de certains chrétiens et les invitent à mieux assumer leur responsabilité en la matière, elles auront atteint leur but. L'immense chantier humain qui s'ouvre devant nous avec la mondialisation est aussi un nouveau chantier pour la réflexion théologique [1].

1. Certains passages de cet ouvrage ont paru dans « Pour une pratique chrétienne de la mondialisation », *Foi et Développement,* mai 2000 et dans « Le marché, usurpation du sacré », juin 2002, « Les nouvelles façons de penser une éthique de la solidarité aujourd'hui. De Dom Helder Câmara à Porto Alegre : nouveaux chemins de la solidarité Nord-Sud », *Lumen Vitae,* janvier-mars 2003 et dans « La Providence gouverne, le Dieu de Jésus fait signe », *Lumière et Vie,* n° 259. Tous ces articles ont été remaniés pour ce livre.

2

L'unité de l'humanité

La mondialisation se présente comme un processus d'universalisation des échanges de biens, de valeurs, et entre personnes. Elle est une circulation universelle et un « devenir monde ». La mondialisation, c'est le dépassement du local et la transgression des frontières. Ce qui est en jeu dans ce processus, c'est l'ouverture croissante à une dimension universelle et c'est aussi la constitution d'une certaine unité de l'humanité. Quand je dis « unité de l'humanité », je ne me prononce pas sur le type d'unité qui est en train de se faire. Cette unité peut être celle qui existe dans le rapport entre maître et esclave – car il s'agit bien là d'un rapport d'unité –, mais ce peut être aussi une unité scellée dans un rapport d'égalité, tel celui du frère au frère. Bref, une unité de domination ou une unité de solidarité.

Lorsqu'on prend en compte cet aspect de la mondialisation et que l'on se met à scruter la Parole de Dieu, on perçoit que l'histoire biblique est portée par un vaste mouvement fait d'une ouverture croissante à l'universel et d'une quête de l'unité de l'humanité. Si on lit l'Écriture dans sa forme actuelle, on peut considérer que le récit de la création, avec les « prototypes » d'Adam et Ève, est une annonce qui préfigure l'unité de l'humanité qui va être réalisée aux derniers temps lorsque viendront « le ciel nouveau et la terre nouvelle » (Ap 21, 1). L'histoire humaine est comme insérée

entre ces deux pôles qui nous parlent de l'unité humaine.
Quant à l'histoire biblique proprement dite, elle commence
avec celle de la libération d'un peuple minuscule, d'un
peuple insignifiant par rapport aux immenses empires du
temps. La Bible nous fait passer de l'histoire de la libération
de l'esclavage auquel était réduit ce petit peuple à la certitude que cet événement possède un sens pour l'ensemble de
l'humanité. C'est d'ailleurs pour cela que nous sommes
chrétiens. On part de l'élection d'un peuple pour aboutir, à
l'autre extrémité, à celle de l'humanité entière.

Le point le plus fort de ce dépassement des limites est
atteint dans le Nouveau Testament avec l'annonce de
l'Évangile aux païens. C'est la transgression de toutes les
frontières. Ce processus évoque évidemment la parole de
saint Paul, qui revêt une résonance particulière en ce temps
de mondialisation : « Il n'y a plus ni Juif, ni Grec, ni esclave,
ni homme libre, ni homme, ni femme » (Ga 3, 28). Avec la
venue du Christ, ces frontières sont abolies, et nous nous
trouvons dans une histoire où l'horizon, du moins l'horizon
ultime, est celui d'un monde réconcilié dans la totalité
des dimensions qui constituent notre existence : notre relation à Dieu, notre relation aux autres hommes, notre relation
au cosmos.

Cette unité et cette universalisation qui est indiquée dans
l'histoire même de la Bible [1] s'opèrent autour d'un axe fondamental, celui du salut libérateur. Il s'agit d'un développement de l'histoire sous le signe de la libération dont le
paradigme est la sortie d'Égypte, la libération de l'esclavage. C'est ce qui est au fondement de l'histoire biblique.
Quand il est question de fondement, cela ne veut pas dire
que l'on se réfère d'abord à une origine historique, tempo-
relle, mais à ce qui fonde en permanence cette histoire tout
au long de son développement. On trouve ainsi dans la

---

1. Pour une présentation plus détaillée des types d'unité que l'on rencontre dans la Bible, voir Jean-Claude LAVIGNE et Ignace BERTEN,
Mondialisation et universalisme. Échos bibliques, Lumen Vitae, 2003.

Bible quantité de comportements demandés par Dieu qui sont rattachés au fait qu'Israël a été libéré de l'esclavage subi en Égypte : « Souviens-toi que je suis le Seigneur ton Dieu qui t'a fait sortir du pays d'Égypte. » Tel est l'un des fondements essentiels de l'éthique biblique. « Tu ne porteras pas atteinte au droit de l'étranger, et tu ne prendras pas en gage le vêtement de la veuve. Souviens-toi que tu as été en servitude au pays d'Égypte et que Yahvé ton Dieu t'en a racheté. Aussi je te prescris de mettre ce précepte en pratique » (Dt 24, 17-18). L'année jubilaire s'articulait directement sur le souvenir de l'esclavage : « Si ton frère tombe dans la gêne alors qu'il est en rapport avec toi, tu ne lui imposeras pas un travail d'esclave ; il sera pour toi comme un salarié ou un hôte et travaillera avec toi jusqu'à l'année jubilaire. Alors il te quittera, lui et ses enfants, et il retournera dans son clan, il rentrera dans la propriété de ses pères. Ils sont en effet mes serviteurs, eux que j'ai fait sortir du pays d'Égypte, et ils ne doivent pas se vendre comme un esclave se vend » (Lv 25, 39-42). Cette libération de l'esclavage parcourt toute la Bible et qualifie de façon décisive la construction d'une humanité nouvelle, rassemblée dans l'unité. Il s'agit donc d'une universalisation qui passe par l'abolition du rapport d'esclavage. Il s'agit d'engendrer une unité où les rapports de domination seront transformés au profit de rapports de justice et de fraternité. C'est l'horizon proposé à notre histoire. Dans le Nouveau Testament, deux événements peuvent être considérés comme des préfigurations de ce monde nouveau : celui de la Pentecôte où chacun comprend les langues différentes que parlent les autres (Ac 2, 1-12) et cette microréalisation d'un monde nouveau qu'est la communauté fraternelle de Jérusalem, la première communauté chrétienne où la pratique du partage entraîne la suppression de la pauvreté en son sein (Ac 2, 42-47 ; 4, 32-35).

Dans cette marche en avant, il y a aussi des fausses routes dont le symbole majeur est l'histoire de la tour de Babel.

Le récit biblique commence de façon extrêmement intéressante quand on le lit en s'interrogeant sur la mondialisation. Il débute ainsi : « La terre entière se servait de la même langue et des mêmes mots » (Gn 11, 1). La lecture du récit montre que l'unité recherchée est fondée sur la puissance et la démesure. Ce type d'unité-là engendre une situation de non-communication. L'éclatement en langues diverses s'opère à la suite d'une quête d'unité fondée sur la puissance. On peut voir dans ce récit symbolique la mise à nu d'un processus qui caractérise aussi de nos jours le mouvement de la mondialisation et qui indique une fausse route à ne pas suivre. Ne vivons-nous pas aujourd'hui une contradiction entre une accumulation fabuleuse de puissance et un horizon de communication universelle techniquement possible mais rendue très difficile en raison même de l'accumulation de puissances et des inégalités effectives ?

Au récit de Babel, nous pouvons évidemment opposer celui de la Pentecôte, où nous voyons au contraire à l'œuvre une unité qui repose sur l'Esprit de Dieu, une unité qui engendre la communication. Avec le récit de la Pentecôte, on entre en quelque sorte dans l'aire de la communication, et l'on y entre tant et si bien que le récit nous indique que les gens se comprennent sans nous faire savoir, sinon tout à la fin, ce qu'ils se disent, comme si cela n'avait pas tellement d'intérêt, l'essentiel étant le fait même de communiquer. La communication, voilà la grande nouvelle. Si les acteurs de ce récit entrent en communication, c'est parce qu'on a quitté le champ de la puissance, symbolisée par Babel. On est désormais sous le régime de l'Esprit.

Je crois possible de dire que la mondialisation est un mouvement historique qui *peut* entrer en cohérence avec le dessein de Dieu sur l'humanité. Je dis : « qui peut entrer en cohérence », je ne dis pas « qui réalise le dessein de Dieu sur l'humanité », car il faut être très prudent dans ce domaine-là. Il n'est pas aisé de discerner le dessein de Dieu. Si l'on trouve qu'il peut y avoir « cohérence » entre ce que nous pouvons savoir du dessein de Dieu et ce qui se passe dans notre histoire, ce n'est déjà pas si mal... Je dirai donc que la mondialisation est un mouvement historique qui peut être en cohérence avec cette histoire de Dieu parmi les hommes dans la mesure où ce mouvement dépasse et transgresse les barrières qui séparent et isolent les hommes. C'est un point positif de la mondialisation, mais à la condition que cette unification, cette universalisation ne s'opère pas au profit de rapports de domination entre les peuples ou entre des catégories sociales à l'intérieur des peuples, mais qu'elle rende possibles des rapports de justice entre les hommes.

La Parole de Dieu peut nous aider à comprendre que la mondialisation est aujourd'hui pervertie par son mode de réalisation néolibérale. Il importe pour apprécier la mondialisation de considérer non pas la mondialisation en soi, mais ce mode particulier de mondialisation qu'est la mondialisation néolibérale. Cette précision est fondamentale car elle permet aussi de faire un certain nombre de discernements, de ne pas tout rejeter comme étant le mal absolu, de porter la question sur le néolibéralisme lui-même et non pas sur le fait qu'il y ait une planétarisation des échanges entre les hommes.

Le néolibéralisme peut être défini comme un mode de production et d'échange qui ne reconnaît pas d'autres normes que les lois du marché. Son terme est d'ailleurs la constitution d'un unique marché planétaire où toutes les frontières qui font obstacle à la libre circulation des marchandises et des capitaux seraient abolies. Il revient aux lois du marché de décider ce qui est bien. Ce qui « résiste » à cette loi doit disparaître et n'est pas bon pour l'humanité. Il s'ensuit que le rôle des États ou des institutions supranationales n'est pas d'imposer des règles au champ économique car cela ne peut que fausser le bon fonctionnement du marché : les États sont compris comme des instances qui ont pour utilité principale de favoriser la liberté d'entreprendre, non d'intervenir pour assurer un minimum de contrôle. Cette perspective s'accompagne souvent d'une réelle hypocrisie car les tenants du libre-échange n'hésitent pas à requérir des États des protections douanières lorsqu'elles sont à leur avantage. Globalement, le néolibéralisme, c'est l'exil du politique hors du champ économique. C'est le règne, théoriquement sans contrepartie, de la libre entreprise. C'est la foi en la propriété privée, aux initiatives individuelles, au rôle bénéfique de la poursuite du profit. Pour que la liberté nécessaire se développe, il importe de « déréguler » au maximum car les lois ne peuvent que perturber le bon fonctionnement du marché et l'esprit d'initiative des entrepreneurs.

À considérer ces principes majeurs du néolibéralisme, il n'est pas difficile de voir qu'il n'existe nulle part de façon pleinement développée et que la pratique des libéraux présente un certain nombre de contradictions par rapport à la théorie. Mais le chemin est tracé et la perspective du libéralisme économique, même s'il arrive que ses promoteurs reconnaissent qu'il doit être parfois tempéré, reste le seul avenir mondial à l'horizon des pratiques économiques actuelles.

L'Exhortation apostolique *Ecclesia in America*, publiée par Jean-Paul II en 1998 à la suite du Synode des Amériques, s'exprime sans ambiguïté sur les effets produits par un tel système : « Dans de nombreux pays américains domine toujours plus un système connu comme "néolibéralisme" ; ce système, faisant référence à une conception économique de l'homme, considère le profit et les lois du marché comme des paramètres absolus au détriment de la dignité et du respect de la personne et du peuple. Il a parfois évolué vers une justification idéologique de certaines attitudes et façons de faire dans le domaine social et politique qui provoquent l'exclusion des plus faibles. En réalité, les pauvres sont toujours plus nombreux, victimes de politiques déterminées et de structures souvent injustes [1]. »

---

1. *Ecclesia in America*, n° 56, *Documentation catholique*, 7 février 1999, p. 129.

3

L'homme, sujet responsable

Le mouvement d'ouverture de l'humanité au-delà des frontières qui la divisent et vers un horizon d'unité se construit dans la Bible simultanément à un autre mouvement, celui de la constitution de l'homme comme personne responsable de ses actes. Dans l'histoire biblique, l'homme est reconnu de plus en plus fermement comme personne responsable. Déjà, au départ de l'Alliance, Dieu pose l'homme comme sujet devant lui-même. Il ne le traite pas comme un objet de miséricorde, mais comme un sujet capable de contracter une alliance. C'est une grande révolution dans le rapport de l'homme à Dieu. Comme sujet, l'homme est le partenaire de l'Alliance, pas seulement son bénéficiaire. C'est le point de départ, et le processus va se développer. Un pas important est franchi au moment de l'affirmation de la responsabilité individuelle dans la perspective de la rétribution : les dents des fils ne sont plus agacées par les raisins verts mangés par leurs parents (Ez 18). La Bible reconnaît de plus en plus que l'homme est un sujet responsable et que personne d'autre que le sujet lui-même ne porte la responsabilité de ses actes. Nous pouvons appeler cela le « temps de l'émergence de la personne ». Dans le Nouveau Testament, cette émergence de la personne prend une ampleur considérable puisque le Christ va intégrer tous ceux que les hommes expulsent, qui sont exclus, qui sont mis en marge pour raison de santé, pour des motifs religieux, pour des raisons politiques. Il les réintègre, les traite en personnes. Une des expressions de cette émergence est l'affirmation très vigoureuse de la supériorité de l'être humain sur la Loi : « Le sabbat a été fait pour l'homme et non l'homme pour le sabbat » (Mc 2, 27).

Qu'en est-il aujourd'hui ? Très souvent, on qualifie la modernité de temps de la naissance de l'individu. Ce mouvement d'individualisation, qui habite incontestablement notre modernité, n'est pas purement et simplement déductible de l'émergence de la personne, telle que je l'ai évoquée à l'instant. Il s'inscrit dans un espace historique ouvert chez nous par un certain nombre de mutations. Lorsqu'on parle de la naissance de l'individu, il ne s'agit pas d'interpréter ce terme à travers les catégories morales de l'individualisme. Il s'agit d'une catégorie sociologique. C'est la naissance d'un sujet de plus en plus renvoyé à lui-même dans le cadre d'une société où les liens naturels ou dits naturels sont rompus. Le sujet n'est plus absorbé dans une communauté à la pensée de laquelle il se conforme, ce qui pouvait tout à fait être le cas de la « personne » vivant au sein d'une communauté rurale traditionnelle. Une rupture s'est accomplie.

Si l'on prend en compte ces données, il me semble que, pour nous, vivre aujourd'hui le mouvement d'ouverture universelle d'une façon qui soit cohérente avec notre foi, c'est le conjuguer avec celui de la constitution des sujets, c'est-à-dire de la constitution de l'homme comme sujet responsable de son existence, individuelle et sociale. Cette perspective évoque bien des choses au niveau pratique. Il n'est pas sûr, par exemple, que le but de l'éducation donnée soit toujours de permettre à l'homme de devenir un sujet actif responsable de son existence, ni que ce soit un objectif prioritaire pour les partis politiques, les syndicats ou les Églises, ou quelque autre institution que ce soit.

La constitution de l'homme comme sujet est une perspective qui ne va pas de soi dans le cadre de la mondialisation. C'est visible au plan économique, bien sûr, puisque l'on constate à ce niveau des processus d'exclusion extrêmement importants et massifs. Il y a fort peu de partage des responsabilités en ce qui concerne les décisions économiques qui déterminent notre vie. C'est aussi le cas au plan culturel, car nous sommes devant le danger d'une certaine massification des esprits, d'un certain aplatissement par réduction au plus petit commun dénominateur, qui n'aide pas la constitution des personnes en sujets. La télévision mondialisée est loin d'inciter les hommes d'aujourd'hui à prendre en main leur existence et leurs responsabilités...

La mondialisation reste une chance pour l'élargissement du champ de notre liberté : nous sommes face à une multiplicité de biens, mais aussi et surtout face à une multiplicité de valeurs, de cultures, de religions... Se constituer comme sujet dans un monde aussi ouvert est certainement difficile et risqué, mais cela est nécessaire car la multiplicité des biens matériels, culturels et religieux est là, devant nous. Comme le dit le document consacré à la mondialisation par la Commission justice et paix – France : « La mondialisation porte ainsi en elle la possibilité pour de plus en plus d'hommes de tracer leur propre route parmi une multiplicité d'éléments de connaissance devenant plus accessibles, d'éléments idéologiques ou éthiques appartenant à de multiples systèmes différents... La mondialisation peut amener une bien plus grande autonomie et liberté personnelle si de nouveaux monopoles marchands ne remplacent pas les anciens détenteurs du discours idéologique et si chacun est formé à cette liberté nouvelle et à la communication avec les autres [1]. »

---

1. *Maîtriser la mondialisation*, Paris, Centurion-Éd. du Cerf-Fleurus-Mame, 1999, p. 39 et 43.

La mondialisation, une fois corrigées ses déviations néo-libérales mortifères, pourrait devenir une chance pour que les sujets se constituent comme tels, de façon autonome, dans l'élargissement même du champ de leur liberté. Si la mondialisation ne s'accompagne pas de ce mouvement de constitution des sujets – ce qui suppose un travail considérable en matière d'éducation –, c'est le règne des objets et de la marchandise qui s'instaurera sur nos personnes, c'est la déshumanisation de l'homme qui progressera. Seul un homme devenu réellement sujet de sa vie sera à même de ne pas se laisser submerger par l'afflux des biens et des valeurs innombrables que la mondialisation charrie avec elle. Il importe que, au lieu de se voir imposer des modèles prêts à porter, les hommes apprennent à assumer leur existence dans la ligne qu'ils jugeront eux-mêmes bonne. La multiplicité des « modèles » actuellement proposés en provenance du monde entier – avec les séductions illusoires que certains exercent grâce au déploiement de leur exotisme – montre bien qu'il n'y a pas de façon de vivre qui jouisse d'une reconnaissance universelle, qu'il n'y a pas une façon d'être homme qui s'impose de façon normative. Aussi, pour éviter que nous ne devenions les jouets de cette pluralité, que nous ne soyons ballottés à tout vent, il importe que nous choisissions de façon responsable notre façon d'être homme, loin des modes versatiles tout autant que des dogmatismes. La mondialisation nous offre cette possibilité d'être plus librement ce que nous sommes, par rapport à un temps où nous ne disposions pas d'autre modèle que celui qui prédominait dans l'aire culturelle et géographique restreinte dans laquelle nous vivions.

4

Priorité aux pauvres

La Parole de Dieu nous invite à prendre en compte une autre constante : la priorité accordée aux pauvres. Nous avons là une donnée de base de l'histoire biblique qui commence avec la libération des esclaves, se poursuit par les prises de parti prophétiques contre l'oppression des pauvres et qui aboutit finalement dans le Nouveau Testament à l'annonce faite par Jésus au début de son ministère lorsqu'il déclare qu'est désormais venu le temps où les boiteux marchent, où les lépreux sont guéris, où les prisonniers sont libérés et où l'Évangile est annoncé aux pauvres (Lc 4, 16-20). Le rapport entretenu avec les personnes pauvres, exclues ou en difficulté devient le critère même du rapport que l'on a avec Dieu. Selon Matthieu 25, seul cet aspect de nos vies en atteste ultimement la vérité ou l'erreur. Pour Jésus, le Royaume de Dieu, objet central de sa mission, est d'abord ouvert aux pauvres.

Face à cela, nous pouvons constater que nous sommes dans un monde où il y a de plus en plus de pauvres en chiffres absolus et de plus en plus d'inégalités.

Le nombre de pauvres n'est pas en augmentation dans tous les pays et, là où il augmente, le rythme n'est pas le même partout. Il a fortement augmenté dans les pays d'Afrique subsaharienne en passant de 180 à 301,6 millions de 1985 à 1998. L'augmentation est forte également dans les pays de l'Europe de l'Est. Globalement, le nombre de personnes vivant dans le monde avec moins de 1 dollar par jour est passé, toujours de 1985 à 1998, de 1,116 milliard à 1,175 milliard, augmentation globale qui ne dit rien des différences entre pays [1].

Quant aux inégalités de revenus, les 20 % les plus riches de la population mondiale disposaient en 1960 d'un revenu 30 fois supérieur à celui des 20 % les plus pauvres. Moins de quarante ans plus tard, en 1997, il est passé à 74 contre 1 [2]. Les 225 plus grosses fortunes du monde représentent l'équivalent du revenu annuel des 47 % d'individus les plus pauvres de la population mondiale, soit 2,5 milliards de personnes [3]. Environ 25 % des habitants de la planète se partagent 75 % du revenu mondial [4].

Certes, il ne faut pas conclure de ces chiffres impressionnants que tout va plus mal, car des progrès importants ont été accomplis dans les luttes contre la pauvreté au cours des dernières années au niveau mondial, notamment en matière de santé, d'alphabétisation, d'allongement de la durée de vie, d'accès à l'eau potable. Il reste cependant vrai que nous sommes aujourd'hui dans un monde où il y a plus de pauvres maintenant qu'il y a quelques années, et où s'est produite une croissance fabuleuse des inégalités. Il est difficilement contestable que la mondialisation, dans sa forme néolibérale actuelle, est un mouvement qui porte une lourde responsabilité dans cette double croissance du nombre des pauvres et des inégalités. Il n'est pas nécessaire pour autant de noircir encore plus la mondialisation

1. Ces données proviennent de la Banque mondiale. Voir à ce sujet Francine MESTRUM, *Mondialisation et pauvreté. De l'utilité de la pauvreté dans le nouvel ordre mondial*, Paris, L'Harmattan, 2003, p. 56.
2. PNUD, *Rapport mondial sur le développement humain 1999*, p. 36.
3. *Ibid.*, 1998, p. 33.
4. *Ibid.*, 2001, p. 19.

en lui attribuant tous les maux dont nous souffrons aujourd'hui. Selon moi, il n'est pas exact par exemple, de raisonner comme si la mondialisation était devenue la source unique de la pauvreté qui sévit dans le monde. Il est nécessaire d'avoir un discours plus circonstancié. Il y a, dans le monde actuel, d'autres sources de pauvreté que la seule mondialisation au sens strict. C'est pourquoi il importe de mieux préciser en quel sens des liens existent entre pauvreté, exclusion et mondialisation. Par exemple, la mondialisation accélère et généralise un certain nombre de processus de pauvreté dont elle n'est pas à proprement parler l'origine : ainsi, la mise à l'écart de ceux dont la force de travail est peu ou pas qualifiée a été généralisée et accélérée par l'exacerbation de la concurrence internationale qui favorise le développement technologique. La mondialisation n'est pas, en toute rigueur de termes, à l'origine de la concurrence qui caractérise l'économie capitaliste, elle est son nouveau champ d'expansion car elle lui permet de s'internationaliser. La concurrence précède la phase actuelle de l'internationalisation, même si celle-ci se situe dans la logique du développement capitaliste. D'autres cas de paupérisation peuvent être directement liés à la mondialisation, comme la délocalisation d'entreprises, qui n'existerait évidemment pas sans la dimension internationale. Les délocalisations ne concernent plus seulement des pays riches au sein desquels elles sont source de précarisation des emplois, mais aussi des pays en voie de développement dès lors qu'ils atteignent un niveau de vie un peu moins misérable qui rend le coût de leur main-d'œuvre moins attractif que celui qui a cours dans un pays plus pauvre qu'eux. De même, l'entrée dans le commerce international n'est pas en soi un élément négatif destructurant pour les pays pauvres comme si ceux-ci ne pouvaient qu'en être les victimes : il est positif à certains points de vue, négatif sous d'autres. Ce n'est pas le lieu d'insister plus avant sur ces discernements, parfois difficiles à faire. Ces remarques ont simplement pour but d'indiquer qu'il est nécessaire d'éviter, notamment dans le monde militant qui critique à juste titre la mondialisation néolibérale, des simplifications qui portent atteinte à la crédibilité des propos. S'il est important de préciser quels sont les processus créateurs de pauvreté dans la mondialisation, ou les conditions auxquelles certains processus le deviennent, c'est aussi pour éviter que tout soit rejeté en bloc, et donc aussi ce qui peut être positif pour une amélioration de la vie humaine.

Toute la Bible nous incite, nous croyants, à juger d'un mouvement historique à partir et en fonction des effets qu'il produit sur les pauvres, sur ceux qui sont les plus démunis de notre société. C'est aussi le critère de jugement d'une politique. Ce point de vue est proprement évangélique : regarder et essayer d'apprécier la réalité à partir de ce qui est produit sur les pauvres. Cela ne veut pas dire qu'il n'y aurait que des chrétiens à avoir ce regard, mais cela fait partie de notre patrimoine.

En adoptant ce point de vue des pauvres, nous pouvons dire que la mondialisation néolibérale actuelle est un mouvement qui entre largement en contradiction avec la finalité qu'on pourrait lui discerner dans le cadre du dessein de Dieu sur l'humanité, à savoir une universalisation de l'homme qui se ferait d'abord au profit des pauvres. Tel n'est pas le cas.

5

La condamnation évangélique
de la richesse

La question de la richesse n'est pas séparable de celle de la pauvreté. Deux aspects de la mondialisation s'entrecroisent quand il est question de richesses. Il y a tout d'abord un accroissement considérable de la production de richesses. C'est là, au moins sous un certain angle, un aspect positif de la mondialisation. Celle-ci s'accompagne d'un développement considérable de la circulation de ces richesses à travers le monde. Quel que soit le lieu de production, les richesses peuvent en principe aboutir en n'importe quel autre lieu. Quelquefois, il n'y a même pas besoin de parler de lieu, par exemple lorsqu'il s'agit de cette richesse qu'est l'information, qui est instantanément accessible de n'importe quel point du globe. Le deuxième aspect de la mondialisation à prendre en compte est que cette circulation de richesses se fait sous la forme d'une accumulation extrême à certains pôles. C'est le phénomène des inégalités déjà plusieurs fois évoqué. L'accroissement des richesses s'accompagne d'une accumulation de celles-ci à certains pôles, ce qui provoque une grave fracture au plan mondial.

Il nous faut relire la Bible à partir de ces préoccupations. On peut remarquer que la richesse est condamnée dans le Nouveau Testament de façon claire en plusieurs circonstances, mais il s'agit de la richesse en tant que rapport social, il ne s'agit pas d'abord de la richesse en tant que quantité de biens matériels. La richesse n'est pas vue ici comme pure accumulation de biens qui serait en soi mauvaise ; est dénoncé avant tout dans la Bible le rapport social qu'engendre le phénomène de la richesse, c'est-à-dire le rapport de domination du riche sur le pauvre. Voilà le fondement premier de la condamnation. Dans le récit concernant le pauvre Lazare, ce n'est pas parce que le riche mange qu'il est dénoncé, c'est parce qu'il ne voit pas le pauvre qui est là (Lc 16, 19-31).

La richesse est aussi dénoncée – ce qui est plus classique et ce que l'on retrouve dans d'autres courants religieux – comme ce qui absorbe le désir de l'homme. Le danger de la richesse, c'est qu'elle peut devenir un dieu qui accapare le cœur, qui le pervertit, en sorte que désormais le trésor de l'homme est mis dans cet objet mortel et périssable qui peut être mangé par les mites ou dérobé (Mt 6, 19-21). C'est là un point de vue surtout moral sur le cœur de l'homme. Mais il faut aussitôt ajouter que, dans le Nouveau Testament, l'opposition entre Dieu et Mammon (Lc 16, 13) n'est pas simplement une opposition de type moral. L'opposé de l'argent, ce n'est pas une vertu morale, c'est Dieu. C'est une opposition proprement théologale. C'est Dieu ou Mammon. Cette opposition-là atteint directement notre foi en Dieu.

Enfin, l'opulence du riche est considérée comme une insulte à l'égard de la misère du pauvre, en ce sens que les besoins élémentaires du pauvre restent sans réponse, alors que le riche satisfait ses désirs de luxe. Le désir du riche porte sur ce qui est superflu alors que demeurent ignorés les besoins élémentaires du pauvre. Les prophètes ont largement insisté sur ce contraste scandaleux. Une telle situation nous renvoie évidemment à la mauvaise répartition des biens, mais elle nous renvoie aussi à cette idée qu'il y a un ordre des choses, à savoir qu'il y a des besoins radicaux de l'homme qui sont à satisfaire en priorité, tels ceux, par exemple, qui sont énumérés au chapitre 25 de l'évangile de Matthieu. Les besoins de base des pauvres passent avant les besoins de luxe des riches.

À partir de cette perception de la richesse dans la Bible, on peut tirer quelques questions concernant notre situation. En ce qui concerne la richesse comme rapport de domination, nous pouvons nous demander si la mondialisation ne s'opère pas en renforçant la domination des riches, des pays riches sur les pays pauvres, et, comme ce n'est pas seulement une question de pays, si elle ne renforce pas les puissances de la richesse au détriment des personnes en situation de détresse.

En ce qui concerne l'ordre de priorité dans les besoins à satisfaire, nous pouvons nous demander dans quelle mesure la mondialisation ne renforce pas le processus d'inversion de l'ordre de satisfaction des besoins. Quel type de consommation est proposé aujourd'hui, quelles priorités sont données à la production économique? N'assiste-t-on pas à un bouleversement des véritables priorités humaines? Le marché mondial donne-t-il la priorité aux besoins de base de tous? La réponse est évidemment non. Ce ne sont pas les besoins des hommes qui orientent l'économie, mais leur solvabilité financière. Par définition, les pauvres ne sont pas solvables, ou si peu...

Enfin, dernière question tirée des remarques antérieures sur la richesse: dans quelle mesure cette mondialisation néolibérale ne nous fait-elle pas entrer dans le circuit sans fin et sans contrôle de la production des biens pour elle-même, c'est-à-dire d'une production qui finit par être à elle-même sa propre fin? La production des richesses paraît avoir pour finalité la perpétuation du processus de production. Le processus économique, en extension permanente, devient si bien une fin en soi qu'il finit par trouver son sens dans sa propre reproduction.

Il conviendrait ici de mentionner ce que l'on pourrait appeler un autre « détournement » de finalité : la financiarisation de l'économie. La sphère financière est dotée d'une relative indépendance par rapport à la sphère productive et la voie est désormais largement ouverte pour que priorité soit donnée à la spéculation sur la production des biens. La spéculation sans frontières est peut-être l'exemple le plus achevé de la liberté revendiquée par les défenseurs de la mondialisation financière. Non seulement la production de biens ne semble parfois qu'un prétexte, qu'une couverture pour mener d'autres opérations financières infiniment plus rentables, mais les salariés eux-mêmes ne sont plus que des pièces rapportées dans un système qui leur tourne le dos.

Christian Coméliau fait le diagnostic suivant : « Sur cette base d'économie de marché prédominante, le capitalisme crée des sociétés préoccupées de progrès technologique, de productivisme et d'expansionnisme. Son but premier est celui d'une accumulation indéfinie de profit plutôt que celui de la satisfaction des besoins sociaux ; il va ainsi mettre en œuvre une croissance indéfinie de la production de marchandises, en fonction de leur rentabilité plutôt que de leur nécessité sociale ou de leur coût écologique [1]. »

Les puissances économiques, pour mieux atteindre leur but, cherchent à réduire à leur service le pouvoir politique lui-même, lequel s'y prête assez souvent car les liens personnels sont nombreux entre les deux sphères. La politique suivie par la majorité des gouvernements est de faire en sorte que l'espace soit désormais disponible pour le libre développement des puissances économiques. « De plus en plus les gouvernements estiment que leur rôle n'est pas de réglementer les marchés, mais de faciliter leur inlassable

---

1. Christian Coméliau, « Privilégier la lutte contre les inégalités », *Esprit*, juin 2000.

expansion [1]. » La mondialisation est certainement un danger pour l'humanité dans la mesure où l'expansion du règne de la marchandise signifie la soumission des rapports humains aux lois de l'économie de marché. Un véritable développement ne doit-il pas chercher à créer un autre processus que celui qui aboutit à la prédominance des lois et des valeurs marchandes au sein d'une société ?

La primauté donnée à la sphère économique dans les jugements que nous pouvons porter sur la société (tout va bien si l'économie est en bonne santé, s'il y a, par exemple, un taux de croissance important) a aussi pour fonction de laisser de côté l'importance que nous devrions accorder aux rapports sociaux. Cela fait évidemment le jeu du néolibéralisme qui a toujours été habile à faire passer pour bien commun ce qui ne profite réellement qu'à une minorité. François Houtart écrit, à juste titre : « Ce qui caractérise le néolibéralisme c'est l'absence de prise en considération des rapports sociaux. Le marché est présenté comme auto-régulateur de tous les processus sociaux... La main invisible produit un équilibre général à condition de laisser les lois du marché fonctionner librement (lois naturelles de l'économie). Les politiques d'ajustement structurel sont censées libérer l'économie et comportent les privatisations, l'ouverture des marchés, la dérégulation du travail, etc. Tout cela est pensé dans un vide social, sans prendre en considération le poids relatif des groupes sociaux. L'on s'étonne alors que les riches deviennent plus riches et les pauvres plus pauvres, comme s'il s'agissait d'un accident de parcours, alors qu'il s'agit de la logique même du système [2]. »

---

1. PNUD, *Rapport sur le développement humain 1997*, Paris, Economica, p. 99.
2. François HOUTART, *L'Autre Davos*, Paris, L'Harmattan, 1999, p. 56-57.

De son côté, André Gorz a bien montré que le développement de la sphère productive n'est jamais « suffisant » dans la logique actuelle. Il écrit : « la catégorie de suffisant n'est pas une catégorie économique, c'est une catégorie culturelle ou existentielle. Dire que ce qui suffit, suffit, c'est indiquer que rien ne servirait d'avoir plus, que ce plus ne serait pas mieux... Ce qui est suffisant est ce qu'il y a de mieux [1]. » Rien ne donne une meilleure idée de l'absurdité du monde dans lequel nous vivons au plan économique que la perspective d'une réelle satisfaction des besoins. Le plus grand malheur qui pourrait arriver à nos économies est que nous nous contentions de ce que nous avons. La croissance économique se trouverait minée dans son fondement si nous ne renouvelions pas et n'élargissions pas indéfiniment le champ de nos besoins. Ainsi, c'est lorsque l'économie atteindrait sa fin, c'est-à-dire la satisfaction de nos besoins, qu'elle serait le plus menacée dans sa survie. Aussi est-il essentiel à notre système économique de ne pas nous laisser nous contenter de ce que nous avons : l'insatisfaction de nos besoins est, en dépit des apparences, une finalité inhérente à un tel système. C'est cette insatisfaction qui est en effet source d'un renouvellement permanent de la consommation, nécessaire à l'extension de la production et du commerce. Elle est obtenue grâce à un puissant système de communication qui fait sans cesse dériver nos appétits vers de nouveaux objets.

Face à un tel système, il me semble que nous, chrétiens, devrions réapprendre ce qu'est une vie sobre, une vie où, grâce à la maîtrise de nos besoins en dérive, nous apprendrions à être heureux ici et maintenant, créant des espaces pour un autre développement de nous-mêmes. Oser une telle initiative, c'est aller à contre-courant de ce qu'exige

---

1. André Gorz, *Métamorphose du travail. Quête de sens*, Paris, Galilée, 1988, p. 142.

de nous l'expansion incessante du marché. Ne pourrait-on pas retrouver dans cette perspective la tradition chrétienne d'un usage modéré des biens de ce monde, tradition qui a parfois revêtu des formes ascétiques excessives? N'y aurait-il pas quelque chose de prophétique à vivre volontairement dans la sobriété au sein du monde actuel, même si un tel comportement ne suffira jamais à changer un processus mondialisé qui mine toute satisfaction véritable?

La remise en cause de la richesse passe aussi par un travail de «désacralisation» du marché comme norme ultime du système. Plusieurs théologiens latino-américains ont souligné le caractère proprement idolâtrique et religieux que revêt la place accordée au marché dans le néolibéralisme. Selon eux, le discours et la pratique du néolibéralisme transforment le marché en réalité sacrée. Jung Mo Sung, Brésilien d'origine coréenne, écrit: «La sacralisation du marché exige et justifie le sacrifice de vies humaines [1].» Étymologiquement, le «sacrifice» signifie «faire du sacré». Il y a un lien intrinsèque entre la sacralisation du marché et la nécessité de sacrifier des vies, notamment la vie des gens jugés incompétents: cette voie sacrificielle est présentée comme la voie normale pour avancer vers le bonheur promis par l'extension généralisée de la sphère du marché.

Cette approche, précise Jung Mo Sung, montre «les limites du concept de sécularisation de la société occidentale [2]». Non seulement parce que nous assistons au "retour" du religieux, mais parce qu'il est difficile de comprendre dans toute son ampleur le phénomène de l'hégémonie néolibérale sans faire appel à ces concepts de sacré et de sacrifice. La sécularisation s'est développée dans la sphère politique qui a perdu son fondement religieux, «mais cela ne signifie pas la fin du sacré dans la société. En réalité, il

1. JUNG MO SUNG, «Idolatria: una clave de lectura de la economica contemporanea?», *Alternativas*, n° 10, (Nicaragua), 1998, p. 26.
2. *Ibid.*, p. 28.

s'est produit un déplacement du sacré, qui est passé, de nos jours, de l'Église au marché[1] ». C'est ce que dénoncent un certain nombre de critiques du néolibéralisme, qui ne sont pas des théologiens. Jung Mo Sung insiste sur le point suivant, qu'il démontre textes à l'appui : l'emploi de ce langage religieux pour parler de l'économie est le fait d'économistes, de même que la critique de ce langage religieux est elle-même opérée par des non-théologiens. Il faut donc débusquer le sacré en dehors du champ religieux, dans l'économie notamment.

C'est parce qu'il est sacralisé que le marché peut subordonner à ses propres lois la vie des personnes. Les sacrificateurs apparaissent eux-mêmes comme des sauveurs à partir du moment où les sacrifices imposés sont perçus comme la voie nécessaire à la réalisation de la promesse d'une société sans sacrifices ni souffrances. Ainsi, l'exclusion sociale, la croissance d'un chômage structurel, etc., sont vues comme des « sacrifices nécessaires », comme un « mal nécessaire » : il faut voir en elles le « coût social » inévitable de la marche vers une économie dont l'assainissement sera nécessairement bénéfique à tous. Dans la bouche des économistes, « coût social » a le sens religieux de « sacrifice ». Jung Mo Sung, s'inspirant parfois des théories de René Girard sur la violence mimétique et le bouc émissaire, n'hésite pas à affirmer que les crises du capitalisme ont besoin de sacrifier les pauvres après les avoir reconnus coupables. Dans cette perspective, une des tâches théologiques primordiales est de débusquer le sacré dans la pratique et le discours économiques, et d'en opérer ainsi la désacralisation.

1. Jung Mo Sung, « Idolatria... », p. 29.

6

Pour une autre conception
de la richesse

Reconsidérer la richesse : tel est le titre d'un rapport rédigé par Patrick Viveret, sociologue et référendaire à la Cour des comptes en France, à la demande du secrétaire d'État à l'Économie solidaire [1]. Il y montre à quel point nous sommes esclaves d'une conception étroitement économique de la richesse et il nous invite assez radicalement à revoir nos idées et nos pratiques.

Il dénonce le fait suivant – qu'il n'est pas le premier à signaler mais auquel son rapport a donné un retentissement particulier –, à savoir que, du point de vue de la comptabilité nationale, les activités destructrices participent à la croissance du produit national brut. Il suffit pour cela que ces destructions génèrent des flux monétaires. Ainsi, les accidents de la route, les maladies dues à l'alcool, le sida, les catastrophes naturelles, les pollutions contribuent de façon positive à la croissance économique telle qu'elle est exprimée aujourd'hui. À l'inverse, des activités bénévoles comme celles qui ont lieu souvent dans un cadre associatif,

1. Patrick VIVERET, *Reconsidérer la richesse*. Ce rapport a été publié par la revue *Transversales*, août 2001.

tout le travail effectué pour le bien-être de la famille au service des enfants ou des personnes âgées sont comptés pour rien quand on évalue la richesse d'un pays parce que ces activités échappent au circuit marchand.

Lorsqu'on prend conscience de tels phénomènes, on peut penser que nous avons une bien pauvre conception de la richesse. Si la croissance que l'on vante tant inclut des éléments aussi négatifs et destructeurs de l'humanité que ceux évoqués à l'instant, alors le taux de croissance n'est pas toujours synonyme de mieux-être pour la population. « Devons-nous nous réjouir d'un fort taux de croissance de notre produit intérieur brut ? écrit P. Viveret. Oui, s'il s'agit de créer des richesses ou des emplois susceptibles d'améliorer le niveau et la qualité de vie d'une collectivité. Non, si cette croissance est due à l'augmentation des accidents, à la progression de maladies nées de l'insécurité alimentaire, à la multiplication des pollutions ou à la destruction de notre environnement naturel [1]. » À la réflexion, cette position relève d'un bon sens élémentaire : c'est dire à quel point nous vivons quotidiennement hors ce bon sens, dans une sorte de déraison partagée.

Notre pratique économique et notre solidarité doivent rompre avec cette représentation de la richesse. Être solidaire de ceux qui sont démunis, ce n'est pas faire en sorte qu'ils accèdent à la jouissance d'une richesse aussi sommairement conçue que celle qui est exprimée par la seule monnaie. Et c'est, pour nous-mêmes, avoir le courage de nous désolidariser dans notre propre façon personnelle de vivre, et si possible dans notre façon collective de vivre, de cette vision trop étroite des choses.

Plus largement, et par-delà la stricte définition de la richesse à partir des flux monétaires, nous pouvons dire

---

1. P. VIVERET, p. 9.

que nous nous référons habituellement à une conception essentiellement matérielle et économique de la richesse. C'est une conception partiale et même « sectaire » au sens qu'a pris ce mot pour désigner le lavage de cerveaux auquel peuvent se livrer des groupements religieux sur leurs propres adeptes. En effet, notre conception avant tout économique, marchande et financière de la richesse a pénétré dans la tête d'hommes et de femmes du monde entier qui nous prennent pour des modèles à imiter, en y perdant leurs propres cultures et valeurs.

Ces remarques sur la richesse posent de façon incontournable la question : Travailler, produire, pour quoi ? pour favoriser quel style de vie ? quel type d'humanisation ?

Notre éthique a besoin de s'adosser à une conception de l'homme intégral, et non pas à celle d'un homme réduit à l'une de ses seules dimensions. L'expression popularisée par Paul VI à propos du développement est plus actuelle que jamais : « Tout l'homme et tous les hommes. » « Tout l'homme », à l'encontre d'une vision étriquée et économiciste de la vie humaine. « Tous les hommes », à l'encontre d'un type de société qui exclut une bonne partie de l'humanité.

Il est frappant de constater qu'une question revient perpétuellement au premier rang des préoccupations, tant des gouvernements que des médias, celle du taux de croissance que nous allons pouvoir atteindre. Pourquoi ne nous demandons-nous pas d'abord : Pour produire quoi ? et pour produire au profit de qui ? Ce sont là des questions relatives à la qualité de la vie et à la destination des richesses et non pas seulement à une vision quantitative de la croissance.

Contribuer à une autre mondialisation est une tâche qui exige que nous cessions de nous référer à une conception partielle et réductrice de l'homme au profit d'une pratique qui s'ouvre à la globalité humaine. « L'homme ne vit pas seulement de pain. »

Au cours de ces dernières années, les travaux d'Amartya Sen, prix Nobel d'économie, à la fois économiste et éthicien, ont beaucoup contribué à élargir la notion de développement et de richesse. Alors que le développement est resté pendant des années avant tout une question de croissance économique quantitative, et que la pauvreté a été conçue essentiellement comme un manque matériel et monétaire, Amartya Sen a mis en avant la conception du développement comme élargissement du champ des libertés et la pauvreté comme une réalité au contenu humain pluridimensionnel. Au début de l'un de ses principaux ouvrages, il explique : « Le développement peut être appréhendé comme un processus d'expansion des libertés réelles dont jouissent les individus. En se focalisant sur les libertés humaines, on évite une définition trop étroite du développement, qu'on réduise ce dernier à la croissance du produit national brut, à l'augmentation des revenus, à l'industrialisation, aux progrès technologiques ou encore à la modernisation sociale. Il ne fait aucun doute que la croissance du PNB ou celle des revenus revêtent une grande importance en tant que moyens d'étendre les libertés dont jouissent les membres d'une société. Mais d'autres facteurs déterminent ces libertés : les dispositions économiques ou sociales, par exemple (il peut s'agir de tous les moyens qui facilitent l'accès à l'éducation ou à la santé) et, tout autant, les libertés politiques et civiques (pensons ici à la liberté de participer au débat public ou d'exercer un droit de contrôle). De la même manière, l'industrialisation, le progrès technique ou les avancées sociales contribuent, dans une large mesure, à étendre la liberté humaine, mais d'autres influences, là encore, sont aux sources de la liberté. Si la liberté est ce que le développement promeut, alors c'est sur cet objectif global qu'il faut se concentrer et non sur un moyen particulier ou un autre, ni sur une série spécifique d'instruments. Percevoir le développement en termes d'expansion des libertés substantielles nous oblige à maintenir l'attention sur les fins en vue desquelles le développement est important sans la dévier vers de simples moyens qui, parmi d'autres, jouent un rôle significatif au cœur du processus [1]. »

Une remarque revient souvent sous la plume d'Amartya Sen : il ne s'agit pas de prendre en compte des éléments de nature non économique – comme la démocratie ou le respect des droits humains – pour cette raison primordiale qu'ils peuvent avoir un effet bénéfique sur la production économique. Il faut absolument éviter toute instrumentalisation des différentes valeurs de la vie humaine au profit des seules réalités économiques. Ces autres éléments – familiaux, communautaires, ludiques, culturels, spirituels – méritent d'être pris en compte pour eux-mêmes, parce qu'ils font partie de ce qu'est une « vie bonne ». Tout cela milite pour que nous élargissions la pratique de notre solidarité à l'être humain conçu dans sa totalité et non pas réduit à l'une de ses composantes.

Nous sommes souvent portés à sous-évaluer, dans nos pratiques individuelles de la solidarité dans nos pays, des éléments comme le besoin de rencontre, d'échange, de chaleur affective. Il est préférable, aiment à rappeler certains éducateurs de rue, de parler au sans domicile fixe qui vous tend la main, plutôt que de lui donner une pièce de monnaie. On réalise mal, souvent, la joie qu'ont ces personnes de rencontrer quelqu'un avec qui elles peuvent échanger comme échangent entre eux d'autres êtres humains.

La prise en compte de « l'homme intégral » devrait également nous permettre de dépasser certains jugements hâtifs, sinon simplistes, sur les divisions qui traversent notre monde. P. Viveret écrit justement : « il faut, en tout cas, abandonner ce regard linéaire qui consisterait à considérer qu'il y aurait, d'un côté, des pays développés, dont nous

---

1. Amartya SEN, *Un nouveau modèle économique. Développement, justice, liberté*, Paris, Odile Jacob, 2000, p. 13-14.

serions, et de l'autre, des pays en voie de développement où sont les autres. Nous avons à complexifier ce regard et à considérer, en particulier, que le sous-développement affectif et spirituel – et singulièrement le sous-développement affectif et spirituel de l'Occident – joue un rôle majeur dans le mal-développement mondial. Ce problème est absolument central [1]. »

En terminant ce point, il vaut la peine de rappeler la conception de « l'économie humaine » qu'avait le père Louis-Joseph Lebret, fondateur d'Économie et Humanisme et avocat des pays pauvres. Il parlait en termes de besoins primaires à satisfaire, qu'il distinguait des besoins secondaires et des besoins tertiaires. Or, ce que Lebret appelait les « besoins primaires » ne se réduisait pas aux besoins en matière d'alimentation, de logement ou de vêtement car il y incluait des besoins sociaux, communautaires, culturels et spirituels [2].

Qui aujourd'hui, lorsqu'il parle des besoins de base, pense à y inclure des besoins spirituels ?

---

1. P. VIVERET, « Reconsidérer la richesse ; une économie au service du développement ? », Économie et Humanisme, actes de la session d'été 2002, texte ronéoté, p. 11.
2. Voir à ce sujet Denis PELLETIER, *Économie et Humanisme. De l'utopie communautaire au combat pour le tiers-monde. 1941-1966*, Paris, Éd. du Cerf, 1996, p. 102-104.

7

La solidarité de Dieu
avec les victimes

La mondialisation nous pousse à interroger la Bible sur
une autre question qui est celle de la puissance et du pouvoir. La mondialisation renvoie à une accumulation fabuleuse de pouvoirs économiques et de savoirs, accumulation
qui est entre les mains d'acteurs relativement peu nombreux, même si on a de la peine à les repérer et qui peuvent
à eux seuls semer la perturbation à l'intérieur de l'économie mondiale. Il s'agit également d'acteurs qui échappent
fort souvent – c'est là sans doute le point le plus grave –
à tout contrôle démocratique. On a donc affaire à une
concentration, même si elle est fluctuante parce qu'elle
change parfois de mains, de pouvoirs de décision, concentration qui va de pair avec une inégalité croissante et une
non-participation de l'ensemble des citoyens aux décisions
économiques essentielles qui construisent notre monde.
Une telle situation de puissance crée des victimes, celles
des pauvretés et des guerres. Ce qui est en jeu, ce n'est pas
seulement l'accumulation de richesses, mais c'est l'accumulation de puissance et de pouvoir. Celles-ci ne sont pas
réductibles l'une à l'autre, même si elles s'entrecroisent le
plus souvent.

L'Évangile a des choses essentielles à nous dire sur cette question des victimes du pouvoir. Dieu en Jésus s'est identifié aux victimes. Il ne s'est pas identifié aux puissants, ni même aux gens qui réussissent, mais Il a fini lamentablement sur la croix, expulsé et exclu de la société humaine au terme d'un procès injuste. Ce que la foi nous dit, c'est que celui qui a été expulsé et banni de l'histoire humaine est celui qui est ressuscité. Il est très important de bien spécifier la résurrection : ce n'est pas la résurrection de n'importe quel homme, d'un homme en général, c'est la résurrection d'un homme qui a été expulsé et banni : c'est sous cet angle-là que la résurrection prend sens en référence à notre histoire.

Nous pouvons dire que Dieu s'est à jamais solidarisé avec les victimes et que, désormais, nous ne pourrons plus confondre dans nos sociétés le pouvoir et la vérité, car Celui qui est la vérité a été victime du pouvoir. Et nous ne pouvons plus confondre la victoire et la justice, car l'injuste peut être victorieux au sein de notre histoire. Comme le dit le théologien Jung Mo Sung : «Nous savons, grâce à la résurrection de Jésus, que la victoire n'est pas la preuve de la justice, ce qui signifie que les justes ne sont pas toujours vainqueurs[1].»

L'identification de Dieu aux victimes est l'expression radicale de cette dimension de l'Évangile suivant laquelle le Royaume de Dieu est destiné aux pauvres, à toutes les personnes défavorisées, humiliées, délaissées. Lorsque Jésus annonce le sens de son ministère (Lc 4, 16-21), il énumère un ensemble de signes qui touchent le corps de l'homme, pas seulement son âme et son esprit. Ce sont des signes qui consistent à remettre debout des gens qui sont blessés par la vie d'une façon ou d'une autre : faire marcher celui qui boite, guérir celui qui est lépreux, visiter celui qui est prisonnier. C'est à la fois le monde des corps et celui des rela-

1. JUNG MO SUNG, «Economia y teologia. Reflexiones sobre mercado, globalización y Reino de Dios», *Alternativas*, n° 9, 1998, p. 116.

tions. On trouve une énumération analogue mais plus vaste dans Matthieu 25. Jésus se fait aussi reconnaître par de tels signes lorsque le Baptiste envoie ses disciples pour savoir s'il est « celui qui doit venir ». Les signes de la proximité du Royaume de Dieu sont inscrits dans le corps de l'homme, son corps individuel et son corps social. La solidarité de Dieu avec les victimes s'exprime dans leur libération et non dans l'accompagnement de leur résignation.

Quels sont aujourd'hui dans notre société les signes de la proximité du Royaume de Dieu ? Bien que nous ne soyons pas les producteurs du Royaume de Dieu, nous avons quelque responsabilité dans l'émergence de ses signes. Quels sont les signes du Royaume que nous posons, que l'Église dans son ensemble pose, qui signifient la proximité de Dieu avec les victimes de ce monde ?

Cette double certitude, à savoir le parti pris de Dieu pour les victimes et la croyance que le Royaume de Dieu est au travail au sein du monde sont les deux piliers de notre espérance. Ils sont l'armature de notre résistance spirituelle : savoir que nous sommes dans un monde où Dieu prend parti pour les victimes et un monde qui est travaillé par les signes du Royaume. C'est une source de résistance spirituelle au sein d'un monde qui écrase le juste ou l'innocent. Si l'on supprime l'un de ces deux pôles, notre espérance de croyants est détruite, puisqu'il ne nous resterait plus qu'un Dieu qui prendrait parti pour les victimes, mais en dehors de notre histoire, ou bien un Dieu qui agirait dans notre histoire mais sans être du côté des victimes.

La solidarité de Dieu avec les victimes ne repose pas sur le fait que les victimes auraient eu, avant de se trouver dans cette situation, ou auraient maintenant qu'elles y sont, des positions nécessairement justes, ou des mérites particuliers qui justifieraient cette solidarité. Dieu est solidaire de ceux qui souffrent pour cette raison qu'ils souffrent, de ceux qui sont victimes de la méchanceté ou de l'avarice pour cette raison qu'ils sont victimes et non parce qu'ils sont des saints. Il ne convient pas de rechercher la justification du comportement de Dieu dans le mérite des victimes. Alors même que des hommes seraient devenus victimes du comportement d'autres hommes parce qu'ils auraient commis des fautes graves sans lesquelles ils auraient échappé à cette domination, ils n'en sont pas moins victimes et la solidarité de Dieu à leur égard n'en existe pas moins. Il ne faut pas confondre « victime » et « innocence ». Il n'y a d'ailleurs qu'une victime intégralement innocente dans l'histoire, c'est Jésus. L'Évangile s'efforce en permanence de nous faire comprendre que ce même Jésus est venu pour les pécheurs et non pour les justes. Il n'est donc aucunement requis d'être une victime sans reproche pour jouir de la solidarité de Dieu. Des personnes peuvent avoir elles-mêmes contribué, avec une responsabilité partielle ou entière, à leur propre déchéance ; elles peuvent porter, à titre individuel, une responsabilité à l'égard de la situation de misère dans laquelle elles se trouvent ; elles peuvent s'être délibérément livrées à un esclavage qui en fait désormais des victimes : elles n'en restent pas moins des victimes et, à ce seul titre, Dieu se déclare solidaire de leur situation.

Être solidaire des victimes, ce n'est donc pas tout approuver de leur comportement antérieur ou présent. Ce n'est pas davantage adopter un point de vue qui risque de déresponsabiliser ces mêmes victimes pour la création d'un avenir différent. C'est ce qui risque de se passer lorsque, par exemple, on explique la situation de pays pauvres en Amérique latine en ne faisant appel qu'à l'oppression passée et présente de l'Empire nord-américain, comme si ces pays eux-mêmes ne pouvaient envisager avoir la moindre part de responsabilité dans leur situation présente ni, surtout, la moindre prise sur cette situation. En matière de lutte contre la pauvreté, l'essentiel est que les pauvres eux-mêmes puissent prendre en main leur situation et le danger d'une certaine conception du rôle de la victime est d'expliquer sa situation à partir de l'oppresseur de telle sorte que ne peut même plus s'ouvrir l'espace d'une éventuelle prise en charge d'elle-même par elle-même. Le frère Godfrey Nzamujo, dont l'expérience en matière de développement en Afrique est exceptionnelle, n'hésite pas à écrire : « Il ne s'agit plus de se résigner ou de pleurer sur soi. Il ne s'agit plus non plus d'accuser les autres (les Européens ou les Américains) d'être responsables du mal-développement. Il s'agit de se prendre en main[1]. »

Dieu n'a pas une solidarité passive. Dire qu'il est solidaire, c'est dire qu'il veut positivement que la victime cesse d'être victime et que ceux qui portent éventuellement la responsabilité de cet état cessent d'être oppresseurs ou complices. Les deux vont toujours de pair. La libération des victimes n'est pas pensable si rien n'est fait pour empêcher que nuisent les auteurs de leur oppression, qu'il s'agisse de personnes aux visages identifiables ou de vastes structures anonymes. Dans le Nouveau Testament lui-même, les deux pôles sont liés. L'affirmation de Luc : « Heureux vous les pauvres » (Lc 6, 20) est inséparable de celle qui suit : « Malheur à vous les riches » (Lc 6, 24). Et dans le Magnificat, la Vierge Marie, dont on a fait un modèle de douceur, n'hésite pas à proclamer : « Il a renversé les potentats de leurs trônes et élevé les humbles. Il a comblé de biens les affamés et renvoyé les riches les mains vides. » (Lc 1, 52-53). Généralement, nous voudrions tant que la situation des pauvres se transforme, que les peuples vivant dans dénuement accèdent à une vie meilleure sans que cela ne remette aucunement en cause nos propres modes de vie !

Nous savons que Dieu n'accomplit pas son dessein sans nous, que nous n'avons pas à attendre qu'il fasse des miracles. Dieu agit avec nous et par nous. Dire que Dieu est solidaire, c'est dire qu'il nous appelle aujourd'hui à poser les actes et à effectuer les changements culturels, spirituels

---

1. Godfrey NZAMUDJO, *Songhaï. Quand l'Afrique relève la tête*, Éd. du Cerf, 2003, p. 61.

et structurels qui libéreront les victimes. Nous ne pouvons pas affirmer la solidarité de Dieu et rester simultanément dans la passivité. Il faut définitivement prendre nos distances avec toute attitude qui consisterait à valoriser la situation des victimes au nom d'une conception sacrificielle de la vie chrétienne. C'est dans cette ligne qu'a été si longtemps valorisée dans l'Église une attitude de résignation chez les pauvres, ce qui était cohérent avec une compromission de l'Église avec les puissances de la richesse puisque la « résignation » des pauvres garantit la perpétuation d'un ordre social qui leur est défavorable. Il est nécessaire que plus de distances soient prises avec le langage sacrificiel qui défigure autant le visage de Dieu que le visage des pauvres. Dieu est solidaire des victimes pour leur libération, non pour perpétuer, au nom du « sacrifice » du Christ, leur victimisation.

8

Les biens de la terre pour tous les hommes

Les ressources naturelles

La mondialisation devrait représenter une occasion exceptionnelle, encore jamais vue dans l'histoire de l'humanité, pour que les biens de la terre, où qu'ils se situent, puissent atteindre cette finalité que nous leur reconnaissons : être au service de tous les hommes. Il s'agit, entre autres choses, de ces richesses « naturelles » inégalement réparties sur la planète que sont par exemple les ressources minières et pétrolières ainsi que l'eau. Prenons le cas du pétrole. Actuellement, une réserve de pétrole est considérée comme la propriété exclusive du pays sur le territoire duquel elle se trouve. Elle peut être utilisée par ce pays comme une source majeure de revenus, ce qui peut nous réjouir lorsqu'il s'agit d'un pays pauvre mais pose plus de questions lorsqu'il permet à des pays ou à leur classe dirigeante de s'enrichir de façon privilégiée au cœur d'un environnement de pauvreté et de s'adonner sans frein à des dépenses somptuaires scandaleuses. Ce même pétrole suscite la convoitise des pays riches, notamment de la superpuissance nord-américaine, qui cherchent à s'en assurer le contrôle par toutes sortes de moyens, qui peuvent aller jusqu'à la guerre. Toujours est-il que dans cette lutte pour le contrôle d'un élément stratégique de la vie économique, ce sont les plus puissants qui, une fois de plus, emportent la mise.

À l'opposé de la pratique actuelle, la mondialisation ouvre la porte à une utopie selon laquelle les ressources fondamentales nécessaires au développement de la vie humaine, où qu'elles se trouvent, seraient équitablement redistribuées entre les peuples. À voir la situation actuelle du monde, on perçoit à quel point de telles perspectives sont effectivement utopiques, et le resteront sans doute pendant fort longtemps, peut-être même jusqu'à l'épuisement total de ces ressources... Il n'empêche que cette utopie nous assigne une tâche à accomplir dès maintenant, à savoir progresser peu à peu vers un plus juste accès de tous aux richesses naturelles. L'ancienne idée selon laquelle l'usage des choses doit rester commun, même lorsque leur propriété est privée, demeure pleinement actuelle. Les biens ne sont pas réservés à ceux qui les possèdent, mais ils sont destinés à tous ceux qui en ont besoin.

On voit bien que de telles perspectives ne peuvent aboutir que si une organisation internationale possède un jour la possibilité d'intervenir efficacement en faveur d'une meilleure répartition des richesses de la terre.

Plus grave que la question du pétrole, il y a la question de l'eau : on constate d'une part une absence d'accès à l'eau potable pour des centaines de millions d'humains, et d'autre part une surconsommation et un gaspillage considérable. Une gestion de l'eau est urgente au plan international comme au plan national ainsi qu'une régulation de la consommation tant pour les entreprises que les particuliers. Pour le moment, et malgré une incontestable prise de conscience, la situation va toujours s'aggravant.

Comme le disent les évêques de Bolivie – pays qui a connu de graves conflits à propos de l'eau – dans un document entièrement consacré à cette question : « Dans la façon d'envisager actuellement le thème de l'eau et de son utilisation, nous trouvons surtout deux visions dans le monde actuel : l'une marchande, l'autre sociale [...]. La vision marchande met l'accent sur le fait que l'eau, comme la terre et les autres ressources naturelles, est un bien qui peut être approprié et transformé en marchandise. En conséquence, on lui attribue une valeur économique et on établit des règles marchandes pour l'échange, avec pour objectif d'assurer aussi bien le profit qu'une plus grande efficacité de gestion [...]. La vision sociale soutient, au contraire, que l'eau est avant tout un bien destiné à tous les êtres vivants et qu'il revient donc à l'humanité et à ses États de garantir une affectation juste et équitable de cette ressource à tous les secteurs de la population et à tous les êtres vivants de la planète [1]... »

Puis les évêques précisent : « Personne ne peut s'approprier ce don nécessaire à la vie pour des raisons économiques ou pour d'autres convenances particulières, excluant les autres, et personne ne peut en être exclu pour ces mêmes raisons. "L'eau qui donne la vie appartient avant tout à ceux qui en ont besoin pour survivre. On ne peut pas les abandonner pour la concéder à ceux qui payent mieux parce qu'ils l'utilisent pour d'autres usages plus lucratifs [2]." Les droits et les devoirs sur l'eau sont essentiellement communautaires [...]. La gestion et la régulation de l'eau doivent être maintenues dans la sphère publique sous un fort contrôle de la société. La meilleure garantie pour une distribution juste et équitable de cette ressource, en harmonie avec la nature, est la participation chaque jour plus consciente, active et organique des différents acteurs sociaux [3]. » Les évêques

---

1. CONFERENCIA EPISCOPAL BOLIVIANA, *El Agua, fuente de vida y don para todos*, Carta Pastoral 12 janvier 2003, Cochabamba, Bolivie, n°s 13-16.

2. CONFERENCIA EPISCOPAL BOLIVIANA, *El Agua...* Cette phrase est reprise d'une autre lettre pastorale publiée par les évêques boliviens en février 2000, *Tierra, Madre Fecunda Para Todos*, n° 183.

3. *Ibid.,* n°s 81-82.

boliviens poursuivent en évoquant la dimension internationale du problème : « Bien plus, cette gestion de l'eau a, en
raison de sa nature propre, des dimensions universelles. On
ne peut pas la limiter aux frontières de chaque pays. Une
déclaration universelle est nécessaire sur l'eau comme patrimoine de l'humanité, pour garantir ces principes au plan
international. Un problème qui est mondial demande à son
tour le concours multilatéral des peuples pour trouver des
solutions justes et équitables qui conviennent à tous [1]. »

Les évêques affirment ensuite que le coût de l'eau doit
être différencié selon les ressources des usagers, surtout dans
les pays où les différences sociales sont considérables, et
cela tant pour des raisons de justice sociale que de santé
publique. Une famille aux faibles ressources qui fait usage
de l'eau pour sa consommation et son hygiène ne doit pas
payer le même tarif que ceux qui l'utilisent pour des activités
de luxe comme le remplissage de piscines privées ou l'arro-
sage d'immenses jardins.

Les évêques boliviens ont bien mis en valeur que l'eau
est un bien commun de l'humanité, que sa gestion et sa
distribution doivent donc faire aussi appel à la dimension
collective de la vie humaine, tant sur le plan des États que
sur celui de l'humanité dans son ensemble. La mondialisation devrait pouvoir être mise au service de telles causes,
si elle cessait d'être une mondialisation sur laquelle le néolibéralisme fait main basse, pour devenir une mondialisation favorisant la vie des peuples.

1. *El Agua...*, n° 82.

9

Les biens de la terre pour tous les hommes

Bien commun, écologie, visage de Dieu

L'urgence en matière d'écologie exige que soit mis progressivement un terme aux formes de développement économique qui entraînent une détérioration de l'environnement pour l'ensemble de la planète. On connaît la pratique qui consiste à traiter les pays pauvres comme de véritables « poubelles » dans lesquelles les peuples riches déversent leurs déchets nocifs ou vendent des produits qu'ils interdisent sur leur propre territoire. Les riches sont plus prompts à partager les nuisances qu'ils provoquent que les biens positifs qu'ils produisent. Le « droit de polluer » se vend et s'achète à l'intérieur d'un quota mondial de pollutions acceptées. Il est demandé aux pays pauvres de moins polluer, ce qu'ils ne perçoivent pas forcément comme une demande émanant d'un souci du bien commun de l'humanité, alors que les pays les plus riches ne font pas preuve d'une stricte discipline en la matière, ou refusent même de se plier aux normes internationalement reconnues. Sans compter, bien sûr, les différences de niveau de développement qui rendent comparativement plus difficile l'acceptation de normes aussi bien environnementales que sociales par les pays les plus pauvres, pour des raisons de compétitivité commerciale. Nous sommes, nous les pays riches, assez mal placés pour faire la morale. Le problème de fond, là encore, porte d'ailleurs sur le type de développement voulu : Que s'agit-il de produire, pour quoi, pour qui ? La question de la pollution est l'un des aspects à prendre en compte dans la remise en cause de ce que nous appelons toujours la « richesse ».

Les biens communs à l'humanité ne pourront atteindre leur destination universelle que sur la base d'un consensus éthique à l'intérieur de l'humanité. De ce point de vue, la situation est-elle aussi désespérée qu'on pourrait le craindre ? Il y a une maturation éthique de la conscience humaine, dont témoigne l'importance accordée de façon croissante depuis des décennies à la problématique des droits humains. Sans doute, les progrès accomplis dans la conscience éthique ne sont pas des progrès opérés dans la pratique elle-même. Il ne s'ensuit pas pour autant que les pratiques ne puissent pas s'améliorer, ne serait-ce que sous la contrainte des lois dont la conscience éthique peut favoriser la promulgation, comme le montre l'expérience. On pourrait énumérer bien des points sur lesquels un progrès a été fait non seulement du point de vue de la conscience éthique mais aussi sur le plan de la pratique dans de très nombreux pays : suppression de la peine de mort, abolition des situations de travail où le travailleur est esclave, droit du travail, jadis inexistant, scolarisation obligatoire, etc. Mais il reste toujours la possibilité que la force l'emporte sur le droit, que la superpuissance mondiale qui étend chaque jour un peu plus sa domination s'exonère des règles du jeu...

Les exigences éthiques en faveur d'une mondialisation qui permette de mieux répartir les richesses dans le respect de la création ne se limitent évidemment pas aux ressources naturelles ou aux biens publics : elles concernent tout ce qui est le fruit de l'activité humaine, matérielle et immatérielle. Un tel point de vue peut paraître un peu choquant, car n'est-ce pas d'abord l'inventeur et le producteur, c'est-à-dire ceux qui ont effectué le travail nécessaire à la création d'un bien, qui doivent en être les premiers bénéficiaires? Oui, cela est vrai d'un point de vue éthique. C'est de plus indispensable si l'on ne veut pas décourager les investissements nécessaires, tant matériels qu'intellectuels. Mais il ne faudrait pas conclure de cette priorité accordée aux créateurs et aux producteurs que les autres humains ne disposent d'aucun droit à profiter à leur tour de ce bien. Là encore, les droits de propriété ne sont pas absolus d'un point de vue éthique. Un des cas les plus évidents de ce droit que les hommes ont sur le bien même légitimement possédé par un autre est celui des médicaments nécessaires à la lutte contre certains fléaux. Le Brésil a eu raison de décider unilatéralement – faute de pouvoir le faire autrement – la production de médicaments «brevetés» contre le sida alors que les «propriétaires légitimes» de ces produits voulaient s'en réserver la fabrication. Il faudrait également évoquer, en sens inverse, les actes de biopiraterie par lesquels certains laboratoires s'approprient des produits fabriqués artisanalement depuis des siècles par des populations indigènes, en les faisant breveter ensuite à leur nom pour s'en réserver la commercialisation[1]. On pourrait penser que ces produits devraient être eux aussi mis à la disposition de tout le monde en vertu de la destination universelle des biens, mais il est évident qu'une telle perspective n'est pensable que s'il y a réciprocité dans l'échange de biens entre pays et si l'on tient compte simultanément du niveau d'inégalité effective entre partenaires. Le savoir accumulé par l'expérience ou la recherche fait partie de ces biens destinés à tous les hommes, encore faut-il que cette destination commence par être faite au profit des plus démunis si l'on veut qu'elle soit vraiment «universelle».

1. DIAL a publié de nombreux dossiers sur la biopiraterie (D 2045, 2136, 2303, 2419, 2444).

Quel Dieu est en jeu ?

Mieux comprendre la portée théologique d'une meilleure répartition des biens entre tous les hommes est nécessaire. Le premier enjeu est évidemment le bien-être des hommes. Si cette finalité n'est pas posée comme première au départ, il n'y a plus de considération théologique ultérieure possible : la base en est détruite. Mais il nous importe de discerner la signification de cette pratique de répartition des biens à l'échelle de l'humanité, en référence au visage de Dieu lui-même. Cela peut paraître exorbitant, mais il faut dire que c'est le visage même de Dieu qui est défiguré lorsque les biens de la terre ne sont pas équitablement répartis entre tous les hommes. Le Dieu auquel nous croyons est indiqué par notre pratique, et il entre toujours en contradiction avec cet autre Dieu que notre foi nous appelle à engendrer dans ce monde. Notre pratique humaine générale renvoie à un Dieu qui n'est pas Père de tous, qui fait lever son soleil de vie sur les uns et relègue les autres dans la mort. L'inégalité qui sévit entre les hommes au point de combler les uns au-delà de ce qui est nécessaire et de priver les autres de ce qui est indispensable pour mener une vie digne ne porte pas seulement atteinte au visage humain de l'homme mais au visage paternel de Dieu. Nous ne pouvons pas, pour éviter la question, nous réfugier dans le concept abstrait de Dieu comme « père universel ». Nous avons la vocation de rendre Dieu universel au milieu de l'humanité, et il ne le devient réellement que si nous partageons équitablement les biens de telle sorte qu'il apparaisse vraiment comme le père de tous. Nous portons la responsabilité du visage du Père au milieu des hommes. Il nous faut construire son visage. Il n'y a là rien de scandaleux si l'on songe que Dieu a intégré l'humanité à la personne de son Fils. Il a pris en lui un visage humain de telle sorte que les traits de Dieu ne sont plus séparables de son inscription dans l'histoire des hommes. La configuration des relations humaines dans leur réalité matérielle, c'est-à-dire telles qu'elles se réalisent dans la répartition des biens, est en elle-même l'expression d'une configuration de Dieu. Comme responsables de la création, ou tout au moins de sa gestion, nous sommes responsables de la réalisation historique de la paternité de Dieu. On aura compris que cette paternité n'est pas seulement spirituelle ou intérieure, elle est médiatisée par la répartition même des biens entre les hommes. Le temps de la mondialisation rend possible la réalisation historique de la paternité universelle de Dieu. Mais il est aussi celui où la défiguration du visage de Dieu au milieu de nous peut atteindre une force et une extension encore inconnues : c'est vrai lorsque les inégalités et l'imperméabilité des différentes couches de la population augmentent de façon dramatique au sein de l'ensemble de l'humanité. Seule une relation de justice, base indispensable de toute relation de fraternité, peut réaliser au milieu de nous les traits du visage d'un Dieu Père.

Le respect de la terre, notre « corps élargi ».

La mondialisation porte gravement atteinte, notamment dans les pays pauvres, au respect que nous devons à la nature. Mondialisation et écologie ne font pas bon ménage. C'est la théologie de la création qui est ici en jeu et notre compréhension de l'homme comme maître de la nature. Dans le monde actuel, être maître de la nature, c'est se comporter généralement en prédateur. Les nations et entreprises polluantes n'entendent que très difficilement le langage des défenseurs de la nature. Comme croyants, nous devons nous demander si nous n'avons pas trop confondu la « maîtrise de l'homme » sur le monde, mentionnée dans le récit de la création au livre de la Genèse, avec le droit d'user et d'abuser. La découverte, ou redécouverte, du texte biblique : « Soyez féconds, multipliez, emplissez la terre et soumettez-la, dominez sur les poissons de la mer, les oiseaux du ciel et tous les animaux qui rampent sur la terre » (Gn 1, 28) a beaucoup contribué, il y a quelques décennies, à faire accepter aux militants chrétiens une certaine idée du progrès, notamment dans les milieux paysans nécessairement marqués par l'idée que « la nature a ses lois » et que l'intervention technique de l'homme bouleversant la nature pouvait signifier un manque de respect à l'égard de l'œuvre du Créateur. Mais l'usage immodéré de certains produits tout comme le développement irrationnel de certaines techniques ont fortement contribué à transformer la maîtrise de la nature en exploitation. Face à de tels excès, le langage chrétien réagit à son tour en insistant davantage sur le respect que sur l'exploitation de la nature. La valorisation du travail humain qui allait de pair avec ces théologies du progrès et de la domination de la nature a elle-même fait l'objet d'un discours plus mesuré. Il ne s'agit pas pour autant de célébrer la « fin du travail », mais plutôt de s'attacher, d'une part à l'humaniser, d'autre part à limiter son emprise afin que d'autres dimensions de la vie puissent éclore et se développer.

Un regard plus critique sur les décennies antérieures a permis de mieux nous faire percevoir à quel point la nature est devenue pour nous l'objet d'une relation à dominante utilitaire. Elle est réduite à son rôle instrumental pour la satisfaction de nos besoins, au détriment de la valeur qu'elle revêt dans un rapport plus contemplatif et artistique. La nature est victime du fait que le but premier de l'économie soit la recherche incessante d'un profit sans limite. L'activité humaine marchandisée est asservie à cette finalité. La détérioration de la nature est généralement liée à une poursuite incontrôlée de finalités économiques dépourvues de régulations externes. Dans les pays de l'ex-URSS, des pollutions très graves ont eu lieu en raison de la poursuite d'une industrialisation à marche forcée dans une quête de puissance à laquelle tout pouvait être sacrifié, et à cause d'un haut degré d'irresponsabilité générale. Dans les pays pauvres, c'est généralement la poursuite du profit à tout prix par les entreprises qui entraîne l'absence de prise en compte de la dimension environnementale. Dans certaines situations de grande pauvreté, ce sont les pauvres eux-mêmes qui épuisent la nature, par la déforestation par exemple, à force d'y puiser de quoi survivre. L'homme est blessé dans son droit à la vie lorsque la nature est elle-même détériorée.

Nous devons apprendre à intégrer davantage la nature à notre propre existence : elle est, comme le dit Leonardo Boff, le «corps élargi» de l'homme. Lorsque le respect de la nature n'est pas assuré, c'est le respect dû à l'homme lui-même qui est atteint et, du même coup, c'est une atteinte portée à la bienveillance du Créateur. Nous devons promouvoir une mondialisation écologique tant par respect pour nos frères les hommes que par respect pour le Créateur, Père qui fait tomber sans distinction la pluie sur les justes et les injustes (Mt 5, 45).

Ce qui est vrai pour notre génération l'est aussi en référence aux générations à venir. Nous sommes responsables devant Dieu et devant les générations futures de notre gestion du patrimoine naturel.

Le bien commun ne doit pas être traité simplement comme une «chose» extérieure, comme l'eau, l'air, la terre. Le bien commun n'est pas fait de réalités qui se tiendraient simplement en dehors de nos vies. On a vu que le problème majeur est celui d'un accès équitable de tous aux biens fondamentaux nécessaires à la vie, ainsi qu'un usage raisonné de ces biens. C'est dire que l'exercice de la responsabilité humaine doit lui-même être inclus dans la définition du bien commun. La participation active des sujets – personnes, groupes délégués, société civile, États – dans la répartition et la gestion du bien commun est un élément constitutif du bien commun lui-même. Comme l'ont écrit des évêques canadiens : « Que tous soient inclus dans la vie de la société, qu'ils aient accès aux bienfaits de la création, et qu'ils puissent participer à l'effort collectif pour améliorer le monde, voilà en quoi devrait consister le bien commun [1]. »

1. *Le Bien commun ou l'Exclusion : les Canadiens face à un choix*, Lettre ouverte adressée aux membres du Parlement par la Commission des affaires sociales de la Conférence des évêques catholiques du Canada, 2 février 2001, § 11.

10

L'altérité culturelle

La question de la culture et des valeurs est fondamentale dans la mondialisation. Nous sommes dans un monde où l'on voit circuler mondialement un certain nombre d'objets. Parmi ces objets, il y a ce qu'on peut appeler les objets techniques, par exemple : la voiture. La voiture est un produit marqué culturellement par le fait qu'elle est un objet technique ; qu'elle vienne du Japon, pays qui appartient à une autre culture que la nôtre, qu'elle vienne des États-Unis, qu'elle vienne de France, elle n'est pas fondamentalement différente. C'est un objet technologique que l'on trouve partout à l'identique. Mais d'autres objets circulent aussi, des objets qui sont culturellement marqués dans leurs diversités et auxquels tout le monde désormais peut accéder sans beaucoup se déplacer. Ce sont, par exemple, tous ces objets artisanaux, ces tissus latino-américains ou indiens, ces masques africains, ces boîtes de nacre des Philippines, ces objets religieux divers, etc., que l'on trouve non seulement dans des magasins spécialisés mais parfois dans les grandes surfaces. Ces objets-là, qui sont culturellement enracinés, typés, deviennent ce que l'on pourrait appeler des objets en état de flottaison culturelle. Robert Castel dit que l'exclusion finit toujours par mettre les gens en « état de flottaison [1] ». On peut dire la même chose de ces objets culturels : ils sont là, posés parmi nous, sans racines. On peut se procurer l'objet, à deux pas de chez soi, souvent pour une somme modeste, sans avoir le moindre accès à la culture qui l'a produit, et sans accès non plus aux producteurs. Ce sont des objets culturels flottants, des produits dont l'exotisme nous permet d'accéder à une altérité en trompe-l'œil. Nous assistons ainsi à une banalisation de la diversité culturelle humaine, à une « folklorisation » des cultures. La mondialisation s'accompagne d'un danger de réduction, voire de suppression de l'altérité culturelle.

Un titre d'article, non dénué d'humour, l'indiquait à sa façon : « États-Unis, la mondialisation favorise la culture du navet. » Le sous-titre expliquait : « Les studios hollywoodiens engrangent l'essentiel de leurs bénéfices à l'étranger, ce qui les incite à adapter leurs films à un public international. Résultat : des superproductions pauvres en dialogues et riches en muscles [2]. » C'est le danger de banalisation culturelle et de nivellement par le bas. Il y a aussi, bien sûr, un aspect positif dans la circulation des objets culturels, car cela rend accessibles des chefs-d'œuvre qui resteraient autrement hors de portée. Ce phénomène-là reste malheureusement trop limité à une couche restreinte de la population.

D'un point de vue théologique, il est très grave de porter atteinte à l'altérité et à la diversité culturelles. L'occultation de l'autre porte en nous atteinte à quelque chose qui est indispensable à la connaissance de Dieu. Ignorer l'altérité de l'être humain, c'est se trouver dans une situation dans

1. Robert CASTEL, « De l'indigence à l'exclusion, la désaffiliation. Précarité du travail et vulnérabilité relationnelle », dans *Face à l'exclusion. Le modèle français*, sous la dir. de Jacques DONZELOT, Paris, Esprit, 1991.
2. *Le Courrier international*, 19-25 novembre 1998.

laquelle il est impossible de découvrir l'altérité de Dieu. Il y a toujours un lien radical entre la connaissance de l'homme et la connaissance de Dieu. Inversement, dans la mesure où la mondialisation serait un processus qui faciliterait – et je crois qu'elle le fait pour une part – la rencontre d'autres personnes, d'autres cultures, elle peut enrichir le substrat humain sur lequel se construit, d'une façon non conceptuelle, l'approche de Dieu. Je crois qu'une découverte de l'altérité de l'homme prédispose, comme en creux, à une éventuelle découverte de l'altérité de Dieu. Nous avons aujourd'hui la possibilité d'intégrer dans le champ de notre foi cette diversité humaine. C'est une chance nouvelle que la mondialisation présente à notre vie de foi.

Un auteur a fort bien exprimé l'originalité du processus de mondialisation au plan culturel. Jacques Leenhardt situe sa réflexion dans le mouvement de la découverte de l'Amérique [1]. Au XVIe siècle, nous dit-il, on voit apparaître dans les demeures et les châteaux les « cabinets de curiosité », lieux où s'entassent divers objets hétéroclites provenant des Amériques et livrés à la curiosité des hôtes. Plus tard, aux XVIIe et XVIIIe siècles, on voit naître dans la métropole l'idée que les peuples exotiques sont encore dans l'enfance de l'humanité, mais sont destinés à grandir. Le thème universaliste, celui qui aboutira à la Déclaration des droits de l'homme, commence à prendre corps. Au XIXe siècle, alors que sur place, en Asie et en Afrique, l'impérialisme colonial régnait, on constate qu'en métropole, avec la naissance de l'ethnographie, une certaine reconnaissance de l'altérité s'opère dans le domaine du savoir. Aujourd'hui, qu'en est-il du rapport à l'autre ? En ce début de millénaire, nous dit Jacques Leenhardt, « le savoir s'est vu en effet imposer une question infiniment plus globale, peu explorée

1. Jacques Leenhardt, « De l'économie-monde à la culture-monde », *Partages d'exotismes, 5e biennale d'art contemporain de Lyon*, diff. Éd. du Seuil, 2000, p. 91-100.

jusqu'alors : qu'est-ce que l'identité d'un groupe, d'un peuple, d'une tribu ? La question de l'altérité devient, dans un tel contexte, inséparable de celle de "ma" propre identité. Nul ne peut désormais ignorer, et cela est un effet de la mondialisation culturelle, que sa propre identité apparaît à l'autre comme une altérité». Ces remarques sont éclairantes. La mondialisation franchit un seuil décisif dans la question du rapport à l'autre lorsque je ne perçois pas seulement l'autre comme autre, mais lorsque je me sais aussi perçu comme autre par lui. Ma relation à l'autre devient différente dès lors que je sais que suis perçu comme autre par lui. Un tel processus, s'il s'accomplit – il est en voie de l'être pour une part mais il est aussi malmené par les repliements identitaires –, représente non seulement quelque chose d'éminemment positif dans l'humanisation de l'homme, mais nous avons, comme chrétiens, à transformer cet essai pour en dégager toutes les potentialités dans le développement de la connaissance de Dieu – même si ce développement est plus appelé à rester de l'ordre de l'expérience intérieure que du discours théologique. Plus explicitement, ce double mouvement de reconnaissance de l'autre et de conscience simultanée que je suis un autre pour l'autre pose les bases d'une relation égalitaire, qui va permettre d'écouter, de prendre au sérieux et de recevoir l'expérience religieuse différente de l'autre. Cette reconnaissance «en boucle» des altérités, et donc aussi de l'égalité humaine radicale de sujets différents, va permettre à chacun d'enrichir sa propre expérience de Dieu de l'expérience culturellement différente que l'autre fait de Dieu. Ce processus est par exemple à l'œuvre en Amérique latine où, grâce à la reconnaissance croissante de l'altérité culturelle de l'indigène (l'Indien), la théologie chrétienne est en train de s'enrichir de l'image maternelle de Dieu qui caractérise la tradition religieuse des peuples originaires. Cette même image féminine de Dieu se trouve d'ailleurs renforcée par la reconnaissance d'une autre altérité, celle des femmes, qui introduit une rupture au sein d'un univers massivement dominé par les hommes. La reconnaissance de l'altérité féminine conduit aujourd'hui à introduire dans le langage théologique et l'expérience religieuse une perception féminine de Dieu. De Père, Dieu est devenu «Père et Mère».

Deux prises de position semblent incompatibles avec la perspective d'une mondialisation humanisante dans le rapport à l'autre. L'une, dont on peut voir l'expression type dans l'ouvrage de Francis Fukuyama, *La Fin de l'histoire et le Dernier Homme*[1], célèbre conjointement le triomphe du libéralisme économique et de la démocratie : l'alliance du marché et de la démocratie est la victoire de l'Occident et représente quelque chose d'indépassable dans l'histoire de l'humanité : nous sommes aujourd'hui dans «la fin de l'histoire». Cette perspective renvoie à une mondialisation qui nous oriente vers une véritable homogénéisation économico-culturelle de l'humanité. À l'autre extrême, nous trouvons la position de Samuel Huntington dans son ouvrage *Le Choc des civilisations*[2]. Pour lui, la modernité technique et économique qui se répand dans le monde ne va pas de pair avec la démocratie. Cette dernière a fondamentalement pour lieu et pour refuge le monde occidental. L'humanité, vouée à la modernisation technique et économique, est simultanément une humanité traversée par des lignes de fractures entre blocs culturels. Nous allons vers un monde de la fragmentation, du morcellement identitaire, du renforcement des différences religieuses, du choc des cultures. En même temps qu'elle provoque une homogénéité fondée sur la modernité technique et économique, la

1. Francis FUKUYAMA, Paris, Flammarion, 1992. Depuis ce premier ouvrage, la position de Fr. Fukuyama s'est orientée vers une autre perception de l'avenir. Nous sommes face à un changement du genre humain : grâce aux manipulations génétiques prévisibles, l'humanité va entrer dans l'ère posthumaine.
2. Samuel HUNTINGTON, Paris, Odile Jacob, 1997.

mondialisation est simultanément l'ère de guerres possibles entre civilisations différentes. L'autre est dangereux.

Si l'on retient la position de Fukuyama, la question de l'autre ne se pose plus vraiment. La réussite repose sur l'extension du « même », non sur la différenciation. Si l'on prend la position de Huntington, la question de l'autre demeure centrale, mais elle est menacée par le renfermement de toutes les altérités sur elles-mêmes. Si la mondialisation nous assigne une tâche à accomplir, c'est bien de trouver une voie qui soit autre que celles qui nous orienteraient vers l'une quelconque des deux situations suivantes : la domination planétaire du « même » dans un cas, la transformation en ghettos des aires culturelles différentes, dans l'autre cas. Il n'y a d'avenir proprement humain que si l'on cherche simultanément l'affirmation des identités culturelles différentes tout en les désolidarisant des repliements communautaristes, et si l'on favorise la découverte réciproque des altérités culturelles. Le dialogue représente la seule issue humaine dans la rencontre de l'autre, et la pratique de la justice à son égard reste le premier nom de la paix.

11

La finalité de l'existence

La venue du Royaume de Dieu fait naître au cœur de notre histoire l'ordre de la fin des temps.

Un aspect essentiel de notre tâche aujourd'hui consiste à réintégrer dans la vie humaine, y compris dans la vie quotidienne, toutes ces réalités qui sont de l'ordre de la fin, qui sont de l'ordre de la finalité de l'existence. N'attendons pas que les choses aillent mieux pour commencer à faire place à l'ordre de la fin, parce que c'est peut-être aussi dans la mesure où nous commencerons que les choses pourront aller mieux.

La Parole de Dieu, autant que notre propre réflexion sur la situation présente, nous presse de prendre en compte, pour nous et pour autrui, ce que l'on peut appeler, avec Emmanuel Levinas, l'ordre du Visage, c'est-à-dire l'ordre de la transcendance de l'humain. Il est urgent de faire place dans nos sociétés à ces réalités qui peuvent être considérées comme étant de l'ordre de la fin : le Visage d'autrui, la parole, l'échange, le pardon, la contemplation, la créativité, la fête, toutes ces réalités qui sont de l'ordre de la fin parce qu'elles ont leur fin en elles-mêmes, parce qu'elles sont de l'ordre du sens de l'existence.

Hannah Arendt a fort bien saisi que « l'époque moderne » renvoyait à « l'élimination de la contemplation du champ

des facultés humaines » au profit de « l'instrumentalisation
du monde, la confiance placée dans les outils et la productivité du fabricant d'objets artificiels ; la foi en la portée
universelle de la catégorie de la fin-et-des-moyens, la convic-
tion que l'on peut résoudre tous les problèmes et ramener
toutes les motivations humaines au principe d'utilité, la
souveraineté qui regarde tout le donné comme un matériau
et considère l'ensemble de la nature "comme une immense
étoffe où nous pouvons tailler ce que nous voudrons pour
le résoudre comme il nous plaira" ; l'assimilation de l'intelli-
gence à l'ingéniosité [1]... »

Nous pouvons rappeler la perspective esquissée tout à
l'heure : nous sommes dans un système de production qui
est indéfini et globalement incontrôlé : il réabsorbe et réuti-
lise sans cesse le temps et les énergies que les progrès de la
productivité devraient libérer pour que nous puissions nous
occuper d'autre chose. Cette question est historiquement
rattachée à celle de la diminution du temps de travail, qui
n'est pas seulement une question de meilleure répartition
des emplois, mais qui permet aussi de dégager du temps
pour exister en faisant autre chose que produire. À la fin du
Capital, Karl Marx parle du royaume de la nécessité – qui
recouvre celui de la satisfaction des besoins et de la sphère
productive – et du royaume de la liberté, lieu du libre épanouissement de l'homme. Pour que naisse ce royaume de
la liberté, il y a une condition, disait-il, c'est la réduction
du temps de travail. Sans cela, le royaume de la nécessité
grignotera toujours l'espace du royaume de la liberté.
Il écrit ces lignes qui restent de nos jours d'un grand intérêt : « À la vérité, le règne de la liberté commence seulement à partir du moment où cesse le travail dicté par la
nécessité et les fins extérieures ; il se situe donc, par sa

---

1. Hannah ARENDT, *Condition de l'homme moderne*, Paris, Calmann-
Lévy, 1997, p. 380-381. La citation que contient le texte de Hannah
Arendt est un passage tiré de Bergson.

nature même, au-delà de la sphère de la production matérielle proprement dite.» Quant à l'«empire de la nécessité
naturelle», il «s'élargit parce que les besoins se multiplient;
mais, en même temps, se développe le processus productif
pour les satisfaire». Et l'auteur poursuit: «C'est au-delà
que commence l'épanouissement de la puissance humaine
qui est sa propre fin, le véritable règne de la liberté qui,
cependant, ne peut fleurir qu'en se fondant sur ce règne
de la nécessité. La réduction de la journée de travail est la
condition fondamentale de cette libération[1].»

L'ordre de la fin des temps est une dimension actuelle
de notre condition historique, une dimension qui, on l'aura
compris, doit être développée et qui suppose donc qu'un
contrôle soit exercé sur l'expansion de la sphère productive,
expansion indéfinie et dévoreuse d'énergies humaines.

Les trois ordres

L'évocation des trois ordres de Pascal n'est pas déplacée
dans un tel contexte. En m'inspirant librement de ces catégories de l'auteur des *Pensées* – sans donc prétendre leur être
fidèle – je distinguerai plusieurs niveaux.

Tout d'abord, il y a l'ordre du pain. C'est l'ordre de l'utile,
celui qui répond aux besoins les plus élémentaires de notre
survie physique. Satisfaire la faim en reste à la fois l'acte et
le symbole fondamental. Sans pain, c'est la vie humaine qui
est détruite dans sa capacité la plus élémentaire mais aussi la
plus radicale de subsistance. Sans pain, le reste ne suit pas.

Le deuxième ordre appartient au champ spécifique des
relations humaines: il est l'ordre de la justice. Il ne relève
donc plus du registre de l'utile: il est une fin en soi. Il ne

1. Karl MARX, *Le Capital III*, dans *Œuvres complètes*, Paris, Gallimard,
coll. «Bibliothèque de la Pléiade», t. II, p. 1486.

peut pas être instrumentalisé pour être réduit au service de l'ordre précédent. Dans ce registre relationnel, proprement humain, l'autre est posé comme mon égal : c'est pourquoi l'ordre relationnel est avant tout un ordre gouverné par la justice. Si la relation à l'autre doit, en vertu du besoin de ce dernier, passer par le don du pain, c'est précisément parce qu'elle ressortit d'abord à la justice. En effet, tout homme a droit à la nourriture indispensable à sa vie, et donc tout homme a le devoir de procurer du pain à celui qui est dans le besoin, c'est-à-dire de permettre à autrui de développer sa propre capacité à produire le pain qui le nourrira. La reconnaissance des droits d'autrui est fondamentalement un acte de justice. Elle se fonde sur le fait qu'autrui est « mon semblable », mon égal et qu'il importe de faire en sorte que cette égalité trouve sa transcription historique concrète. L'ordre du pain, qui est celui du besoin, est incapable d'engendrer l'ordre supérieur de la justice dans les relations humaines, mais celles-ci, lorsqu'elles sont posées, peuvent et doivent incorporer l'ordre du pain, sous peine de manquer à leur inscription dans la chair.

Mais il y a un troisième ordre, celui de la charité. C'est l'ordre en vertu duquel je peux aller jusqu'au sacrifice de ma vie pour sauver celle d'autrui. C'est aller plus loin et au-delà de ce que requiert toute justice. Il n'est pas juste, à proprement parler, de mourir pour autrui. C'est un acte d'absolue sortie de soi où un sujet reconnaît à autrui une primauté sur lui-même au point de préférer la vie de l'autre à la sienne propre. Ce don peut aller jusqu'à la mort en certains cas. D'une façon plus ordinaire, mais non moins transcendante, il se réalise en acceptant de mourir à soi-même quotidiennement pour que se développe la vie des autres, comme le père ou la mère de famille qui acceptent chaque jour de nombreuses privations pour assurer l'avenir de leurs enfants, tels ces hommes et ces femmes qui renoncent à la paternité ou à la maternité pour se mettre au service du plus lointain, etc. L'ordre de la charité n'est pas réservé aux héros car il est le plus souvent vécu dans la mort quotidienne à soi-même. L'ordre de la charité n'est pas engendré par celui de la justice, mais il doit l'assumer car il ne peut y avoir de vraie charité sans vraie justice.

Lorsqu'elle atteint cet ordre supérieur, le plus haut de tous, la relation humaine devient participation à l'ordre relationnel de Dieu lui-même. Il n'y a pas d'amour d'autrui qui ne soit simultanément amour de Dieu. L'altérité d'autrui est nourrie de la mienne comme la mienne se nourrit de la sienne de telle sorte que l'un et l'autre nous affermissons davantage nos identités par la vertu même de notre lien. Une vraie communion renforce les différences, ne serait-ce, en premier lieu, qu'en les manifestant. Nous sommes proches ici de l'échange qui se réalise en Dieu. La seule différence – mais elle est infinie – vient de ce que notre existence n'est jamais purement relationnelle : je peux encore subsister si la mort d'autrui, par exemple, vient rompre la relation. En Dieu, chacune des personnes est constituée dans son originalité irréductible par son rapport aux autres personnes. Ainsi, le Père et le Fils sont totalement relatifs l'un à l'autre dans la constitution même de leur personne. Dans l'ordre humain, nous subsistons toujours antérieurement à nos relations, même si celles-ci jouent un rôle fondamental dans la construction de notre personnalité. Sans le jeu des relations qui l'entourent dès le sein de sa mère, l'être humain serait réduit à un état quasi animal. On peut dire, à la limite, que l'homme animal reste en nous toujours antérieur à l'homme humain, que l'humanisation est un devenir qui transforme en permanence ce substrat. En Dieu, il n'y a pas de substrat qui serait antérieur à chacune des personnes en dehors du jeu relationnel. Malgré cette différence proprement infinie, c'est la relation qui nous rend le plus semblables à Dieu. Bien plus, c'est en vivant dans l'ordre relationnel humain que nous sommes insérés dans l'ordre relationnel divin. L'ordre de la communication intrahumaine nous relie à l'ordre de la communication intérieure à Dieu. Il est, aux yeux de ceux qui croient que l'amour du frère et l'amour de Dieu sont indissociables, une participation à la vie relationnelle des personnes divines au sein du Dieu unique.

Si étrange que cela puisse paraître à première vue, nous ne sommes pas loin des questions concernant la mondialisation. Celle-ci peut être comprise comme l'objectivation – dans les champs multiples de l'économie, du savoir, de la culture – des relations qui sont tissées entre les hommes d'un bout à l'autre du monde à un moment donné de leur existence collective. C'est très précisément sous cet angle-là que la foi chrétienne est concernée. Ces relations peuvent en effet être des relations de justice ou d'injustice, d'égalité ou d'inégalité, d'oppression ou de libération, d'exploitation ou de reconnaissance réciproque. À vrai dire, la mondialisation est faite d'un enchevêtrement de relations qui peuvent être justes sur un point, injustes sur un autre, solidaires pour tel enjeu, excluantes pour tel autre. La mondialisation ne tisse pas une pièce de drap homogène. Il y a cependant des dominantes, tel le système généralisé des relations inégales développées par le néolibéralisme, telle la concomitance de l'accumulation de biens pour certains et de l'appauvrissement pour d'autres. Il y a aussi des secteurs où les relations entre partenaires peuvent témoigner d'un plus grand respect que dans tel autre secteur : c'est souvent le cas dans les échanges culturels artistiques où nous respectons plus volontiers le génie de l'autre. L'ensemble complexe de ces relations objectives tissées à différents niveaux et parcourant la surface de la terre constitue précisément les lieux au sein desquels nous sommes invités à vivre aujourd'hui l'Évangile. Chacun de nous est en quelque sorte le sujet de ces relations complexes qui parcourent le monde, du seul fait qu'il vit dans un univers dont chaque point est connecté aux autres. Si nous n'assumons pas la mondialisation dans notre pratique de l'Évangile, nous laissons à l'extérieur de notre conversion un pan majeur de nos vies. L'homme qui est appelé à se convertir au Christ aujourd'hui, c'est l'homme individuel saisi dans la totalité de sa vie, c'est-à-dire jusque dans cette vie qui circule dans les réseaux d'une terre mondialisée. Il est plus que jamais impossible de séparer – bien que la tentation soit forte – conversion individuelle et transformation du monde. Sans s'y réduire, la transformation du monde devient une dimension de la conversion de soi. Dans cette perspective, on comprendra mieux que des considérations sur la participation à la vie relationnelle qui se déploie à l'intérieur de Dieu ont toute leur place dans une réflexion sur la mondialisation. Celle-ci me concerne jusqu'au sein de mes relations à Dieu puisqu'elle me concerne au sein de mes relations aux hommes. Jamais l'expression « relations humaines » n'a revêtu un sens aussi coextensif à l'ensemble de l'humanité. Jamais la dimension de l'amour de Dieu n'avait encore revêtu à ce point le champ immense des relations que tisse l'humanité, et dans lesquelles nos propres vies s'écoulent d'un bout à l'autre du monde. Travailler à la naissance d'une mondialisation solidaire est aussi pour nous chrétiens une des modalités selon lesquelles nous communions à la vie relationnelle qui est en Dieu.

12

Une éthique de la réciprocité

Pour améliorer les rapports mondialisés entre les personnes, les peuples et les nations, il existe d'autres solutions que de succomber, selon le titre d'un ouvrage jadis célèbre, à «la tentation de faire du bien» aux autres – ce qui n'a jamais été incompatible avec le fait de les dominer. Il est dangereux de se situer d'emblée dans une perspective de don. Une éthique de la réciprocité et non du don à sens unique est sans doute la seule qui soit à la hauteur du problème au temps de la mondialisation.

Le don apparaît souvent comme ce qu'il y a de plus haut dans le comportement humain. Prendre, posséder, accaparer ne sont pas des actes que l'on a envie de célébrer comme caractérisant un comportement humain digne de louange. Nous considérons au contraire que sortir de soi, aller vers les autres, quitter notre égoïsme et notre repliement sur nos propriétés, être capable d'un comportement altruiste constituent des actes proprement humains. Nous vivons dans des pays culturellement marqués par le christianisme, qui a toujours accordé une place exceptionnelle au don et à la capacité de donner. Le don est considéré comme l'acte qui devrait caractériser par excellence le comportement chrétien. C'est, en un langage plus traditionnel, une expression majeure de la charité, en quoi se résument pour un chrétien tous les commandements. Dans le cadre de cette valorisation chrétienne du don, le sommet le plus élevé est atteint dans le don de sa propre vie. C'est ce qu'a fait le Christ : « Il n'y a pas de plus grand amour que de donner sa vie pour ses amis » (Jn 15, 13). C'est au Christ que les Actes des Apôtres attribuent cette parole : « Il y a plus de bonheur à donner qu'à recevoir » (Ac 20, 35).

Cette célébration du don n'est pas sans danger. Si impressionnante soit-elle, il n'en faut pas moins garder un regard critique sur la pratique du don, sur une éthique qui s'exprime de façon privilégiée en termes de dons. La pratique du don peut en effet donner lieu à des effets pervers.

Le don peut mettre autrui en situation de dépendance à mon égard. Au lieu de permettre à l'autre d'accéder à sa propre liberté et de la développer, il lie le destinataire au donateur, jusqu'à l'empêcher dans certains cas d'atteindre l'âge adulte. Le don peut entraîner une véritable colonisation d'autrui au lieu de lui permettre d'accéder à l'autonomie. Le don atteint ses effets pervers lorsque le bénéficiaire ne parvient plus à se passer du donateur – quoi qu'il en soit, par ailleurs, des bonnes intentions de ce dernier. Au plan international, le don peut correspondre à une pratique paternaliste d'assistanat et crée un réflexe de quémandeur parmi les assistés. Dans cette perspective, le non-développement est imputé essentiellement à la responsabilité de ceux qui ne veulent pas aider ou n'aident pas assez.

Le don peut aussi coexister avec des comportements qui sont destructeurs des finalités que l'on prétend atteindre. Ainsi, on déclare vouloir contribuer au développement des pays pauvres en augmentant le montant de l'aide, on déclare vouloir remettre même une partie de leurs dettes, mais, simultanément, on empêche les bénéficiaires de nos « générosités » d'accéder à nos marchés pour y vendre leurs produits agricoles parce que nous maintenons des subventions qui leur interdisent toute concurrence avec nos propres produits. Cette question est devenue épineuse et constitue un véritable leitmotiv de la critique des pays pauvres à notre égard.

Le langage en termes de don et de générosité peut aussi jouer un rôle idéologique en renforçant auprès de l'opinion publique un sentiment de bonne conscience. Il contribue à voiler toute une part de la réalité, notamment de la réalité objective et institutionnalisée des relations structurelles. Ainsi voit-on fonctionner un double système : d'une part, celui du don et, d'autre part, celui de l'injustice structurelle qui coexiste avec lui. On retrouve ce phénomène aussi bien à l'intérieur des sociétés riches à l'égard des populations pauvres qui vivent en elles que dans le rapport des pays riches aux pays pauvres. Une des conséquences les plus graves de ce processus est que l'on prétend lutter contre la pauvreté par la pratique du don mais sans vouloir modifier réellement les causes productrices de pauvretés et d'inégalités. Comme l'a fort bien écrit François Houtart après s'être entretenu avec Michel Camdessus, ex-directeur du FMI, promoteur d'une politique libérale très contestée dans les pays pauvres et qui fait même aujourd'hui l'objet de critiques au sein du FMI : « on propose des programmes de lutte contre la pauvreté en même temps que l'on poursuit des politiques qui fabriquent la pauvreté. C'est la contradiction fondamentale, parce que, en tout ce qu'ils font et proposent, il y a un dogme qu'on ne peut pas mettre en cause : c'est le dogme de l'économie capitaliste [1]. »

Enfin, nous utilisons le langage du don alors qu'il ne s'agit que de restitution. Reprenons le cas de la dette extérieure et de la lutte contre la pauvreté. Permettre aux pauvres d'avoir ce qui est requis pour mener une vie digne n'est pas un acte de générosité mais de restitution. Pour

---

1. Eduardo TAMAYO, « Las salidas del final del túnel, entrevista con François Houtart », *ALAI*, 8 août 2000, p. 23.

deux raisons : d'abord en vertu du principe éthique fondamental, d'origine théologique, que les biens de la terre sont
à tous les hommes et que donc là où il y a accaparement
de ces biens par quelques-uns au détriment des autres, il y
a vol et déni du droit d'autrui. On peut rappeler à cette
occasion la fameuse parole de saint Grégoire le Grand :
« Lorsque nous donnons aux miséreux ce qui leur est
nécessaire, nous ne leur faisons pas de largesse, nous ne
faisons que leur rendre ce qui leur appartient [1]. » Ou cette
parole de saint Ambroise : « Ce n'est d'ailleurs pas de
ton bien que tu distribues au pauvre, c'est seulement sur
le sien que tu lui rends [2]. » La seconde raison en est que la
dette, comme on le dit si souvent en Amérique latine par
exemple, a déjà été remboursée de nombreuses fois, par le
biais des intérêts qui peuvent représenter plusieurs fois
le montant du prêt.

À une éthique axée sur le don, il nous faut préférer
une éthique axée sur la réciprocité et l'échange. Parler
d'une éthique de la réciprocité, c'est inclure comme élément essentiel un rapport fonctionnant dans les deux
sens : il ne s'agit plus seulement de donner, mais aussi de
recevoir.

Il est aussi important de savoir recevoir que de savoir
donner, de savoir recevoir de celui-là même auquel on
donne. Dans nos milieux chrétiens, nous pensons trop la
perfection humaine comme une reproduction de celle que
l'on attribue à Dieu en faisant appel à la parole du Christ :
« Soyez parfaits comme votre Père céleste est parfait »
(Mt 5, 48). La générosité de Dieu à notre égard n'est pas

---

1. GRÉGOIRE LE GRAND, *Liber regulæ pastoralis*, PL 77, col. 87 B.
2. *Naboth le pauvre*, XII, 55, dans *Riches et pauvres dans l'Église
ancienne*, textes choisis et présentés par A. G. HAMMAN, DDB, 1982,
p. 252. Pour plus de développement sur cet aspect de la tradition chrétienne, je me permets de renvoyer à mon livre *La Cause des pauvres*,
Paris, Éd. du Cerf, 1996, p. 127-148.

conditionnée par notre comportement envers Lui. Le don de Dieu est gratuit. Je ne pense pas – s'il est vrai que Dieu ne reçoit rien en retour des hommes, ce qui serait aussi une question à débattre – que nous puissions penser le don humain de la même façon. Ne cherchons pas à être « comme Dieu », selon la mise en garde du livre de la Genèse. Il est tout aussi essentiel pour nous de recevoir que de donner. Plus précisément : il est essentiel de recevoir de celui auquel on donne. Cet aspect de retour, en vertu duquel nous ne pouvons plus seulement parler de don mais d'échange, est essentiel à la pratique même du don. En effet, le don se transforme aisément en domination de l'autre dès lors que l'on n'attend rien de lui. Une pratique du don sans perspective d'enrichissement mutuel est une pratique qui consacre l'inégalité et qui peut signifier une prise de pouvoir sur autrui. Par rapport au don, l'échange a cet immense avantage d'affirmer une égalité fondamentale entre les deux partenaires. Ils sont sur le même plan, chacun étant à la fois donateur et destinataire.

Cette question de l'échange et de la réciprocité est à poser à tous les niveaux, tant au plan économique que culturel et même religieux. Il peut s'exprimer, de part et d'autre, sous une forme économique, y compris bien évidemment sous la forme d'un échange de marchandises, et donc d'ouverture réciproque et raisonnée des marchés. Mais le bien échangé peut aussi être économique d'un côté et culturel de l'autre. Nous avons beaucoup à recevoir d'un point de vue culturel de la part d'autres pays. Par exemple, ces dernières années ont fleuri en Europe de nombreux groupes de soutien aux zapatistes, ces indigènes mexicains revendiquant un certain nombre de leurs droits. Que pouvaient donner ces groupes aux zapatistes ? Ils leur rendaient le service d'exercer en leur faveur une pression sur le pouvoir mexicain pour qu'il change de politique à leur égard. Mais ces groupes attendaient-ils eux-mêmes quelque chose des zapatistes et, plus largement, des communautés indiennes ? Se sont-ils laissé enrichir par l'apport culturel des communautés qu'ils défendaient, et défendent encore ? Ces communautés peuvent être pour nous la source de questions majeures qui nous atteignent au cœur de nos modes de vie : rapport à la nature, aux ancêtres, à la communauté, pratique de la justice dont le but essentiel est de rechercher la réinsertion et non pas la punition de celui qui s'est écarté de la norme communautaire, etc. Économiquement, et dans la situation actuelle, nous avons sans doute peu de chose à recevoir des Indiens du Chiapas ; il en va différemment d'un point de vue culturel.

Finalement, si l'échange est supérieur au don, c'est parce que ce qui est donné de part et d'autre l'est dans le cadre d'une reconnaissance réciproque. L'acte du don et la chose donnée sont alors insérés dans une relation proprement humaine. Si l'échange de réciprocité est supérieur au seul don, c'est parce que je permets à l'autre d'être une personne devant moi comme moi devant lui, d'être elle-même – et pas moi seulement – source d'initiative relationnelle et d'accomplissement de l'autre. Cet échange permet que la relation ne s'achève pas dans le don de quelque chose mais devienne reconnaissance des personnes. La relation ne relève plus alors d'un comportement simplement moral qui consiste à faire du bien à l'autre, mais elle appartient à l'ordre irréductible de la présence à l'autre et de la présence de l'autre. En acceptant de recevoir quelque chose de celui auquel je donne, je lui permets – et lui me permet en retour – de dépasser le champ des besoins qui peut-être nous accable par ses manques, pour accéder ensemble à l'ordre nouveau de la relation. Même la « relation d'aide », même l'« intervention humanitaire » peuvent rester prises au piège de la volonté morale de faire du bien si elles se donnent pour seul objectif d'apporter des secours : elles n'appartiennent à l'ordre proprement humain de la rencontre que lorsqu'elles visent aussi à créer du lien social. Des activités généreuses d'aide ou de secours d'urgence ne débouchent pas toujours sur la perception des besoins réels de l'autre, mais le traitent comme une duplication de nous-mêmes : nous sommes incapables de percevoir que ses besoins ne sont pas les mêmes que les nôtres, que sa structuration culturelle est autre que la nôtre, que le traiter simplement comme un « autre nous-même » n'est qu'une façon de le réduire à ce que nous sommes. Alors même que la situation nous inviterait à combler de toute urgence un manque économique, il s'agit d'aller au-delà et de rejoindre, simultanément, le champ de la parole. Simultanément, et non pas après, car la reconnaissance de l'altérité d'autrui conditionne notre capacité à percevoir ses besoins et donc notre façon d'y répondre. Il n'y a pas d'abord un premier temps qui serait celui de l'identification des besoins, et ensuite un deuxième temps où l'on aurait enfin le temps – ou le loisir ! – de reconnaître l'originalité irréductible des autres. La perception d'autrui comme irréductible à moi-même est nécessaire à une meilleure perception de ses besoins.

« L'homme ne vit pas seulement de pain, dit Jésus, mais de toute parole qui sort de la bouche de Dieu » (Mt 4, 4). Ce propos ne signifie pas qu'il faudrait d'abord donner du pain et ensuite la parole. Il signifie que le don du pain ne doit lui-même jamais être dissocié de celui de la parole. C'est la relation de parole qui humanise radicalement le don du pain. Il arrache celui-ci au domaine de l'assistanat ou de la pitié émotive pour en faire un acte ouvert à la construction d'un monde relationnel différent.

Lorsque le don du pain est accompagné de celui de la parole, le pain cesse d'être uniquement cette chose qui nourrit : il devient symbole de relation. Il appartient désormais à l'ordre proprement humain.

L'analogie eucharistique pourrait être ici évoquée. Ce qui fait l'unité de l'Eucharistie, c'est l'union même d'un acte de parole et de manducation. Le partage du pain n'y est possible que par la parole qui le fonde. La foi – qui naît de la parole – permet de reconnaître dans le pain le Corps du Christ. C'est la parole qui transforme le pain en Corps du Christ. C'est la parole qui inscrit le pain dans l'ordre relationnel de la vie, de la vie éternelle.

Enfin lorsque la relation de réciprocité l'emporte sur la seule relation à sens unique donateur-bénéficiaire, ce qui est donné devient ce qui est échangé et, du même coup, le comportement ne relève plus seulement d'un ordre censément caritatif ou d'une démarche censément généreuse, mais il vise à s'inscrire d'abord dans le champ de la justice. Il ne s'agit plus de « bonne volonté » mais d'une reconnaissance réciproque de ce que chacun peut être pour l'autre, d'une véritable démarche de justice qui renvoie toujours à une égalité humaine. Lorsque je donne à autrui – ou lorsque autrui me donne – de telle sorte qu'il soit lui-même capable à son tour de donner – ou lorsqu'il me donne de telle façon que je sois moi-même capable de lui donner en retour –, les conditions sont créées pour instaurer l'égalité nécessaire pour que les relations de réciprocité deviennent des relations justes, des relations enracinées dans la justice. La solidarité doit toujours s'interroger sur son rapport à la justice.

13

Évangélisation et mission

Au point de départ, il convient d'observer que la Parole de Dieu ne s'est pas répandue sur la face de la terre en créant elle-même ses propres chemins, mais elle a suivi ceux qui avaient été tracés par les pouvoirs en place. Saint Paul n'a pas circulé à travers le monde romain en suivant d'autres routes que celles créées par les Romains. Nous savons que, aux XVe et XVIe siècles, la même chose s'est produite en Amérique latine : l'Église a suivi les colonisateurs en empruntant les routes qu'ils traçaient ou qui étaient tracées avant eux. Les missionnaires utilisaient ces circuits pour annoncer la Parole de Dieu. La même chose s'est produite au XIXe siècle.

La mondialisation, dont le fer de lance est aujourd'hui économique, apparaît comme le lieu d'une circulation des religions. La nouveauté par rapport à l'époque des expansions coloniales est que la mondialisation ne donne plus aujourd'hui de place privilégiée à la diffusion de la parole de l'Église, mais elle ouvre l'espace à l'ensemble des courants religieux. Ce phénomène est très important. Certes, il y a toujours des cas où le pouvoir politique assure un contrôle sur tel ou tel courant religieux, et l'on assiste également à des replis identitaires engendrant des courants intégristes. La tendance actuelle reste cependant nettement marquée par la circulation des divers courants, moins limités que jadis à occuper des aires géographiques déterminées. La France est devenue un des pays les plus importants pour le bouddhisme en Europe, sans parler de la forte présence musulmane. Après la période d'expansion missionnaire pendant laquelle la parole catholique était maîtresse, la mondialisation ouvre l'espace d'un dialogue interreligieux. Elle l'ouvre chez nous-mêmes et dans le monde. De ce point de vue-là, la rencontre d'Assise a été un signe fort de la reconnaissance de l'autre au plan religieux. Nous pouvons faire en sorte que cette situation de rencontre des religions prenne un sens positif en la transformant en échanges.

La mondialisation nous inscrit dans un monde où nous ne pouvons plus simplement nous poser comme les vrais croyants, mais où nous sommes d'abord des croyants parmi d'autres croyants. Nous ne pouvons plus affirmer notre foi sans nous ouvrir aux autres champs religieux, sans recueillir ce qu'ils ont à nous apporter. Dans ce sens-là, la mondialisation nous invite à une certaine mutation de notre foi, une foi qui ne se pose plus comme une vérité exclusive et excluante, mais qui accepte l'existence d'autres chemins, bref, une foi qui cesse de se penser comme totalisant la vérité religieuse, ce qui a toujours été une tendance forte de l'institution catholique, comme d'autres religions instituées. La mondialisation nous invite vraiment à la pratique d'une Église d'accueil, d'une Église de dialogue, et non pas d'une Église de la suspicion sur ce que croit autrui ou d'une Église qui récupère ce que croit autrui en disant y reconnaître ce qu'elle a toujours pensé. C'est vraiment l'invitation à l'ouverture à l'altérité et, du même coup, c'est la transformation, sans doute à long terme, d'une Église qui se présente comme maîtresse de vérité. La mondialisation est une invitation à passer d'une Église trop autoritaire et dogmatique à une Église de dialogue, une Église accueillante, une Église qui sait et qui découvre, y compris sur le plan de sa propre foi, qu'elle a des choses à recevoir des autres religions.

C'est là une dimension d'avenir de la mondialisation, qui n'est pas d'ordre économique, qui dépasse aussi la dimension simplement culturelle, mais qui est tout à fait essentielle non seulement pour les croyants, mais pour l'humanité elle-même.

Le dialogue interreligieux se fera d'autant mieux que l'Église pratiquera en son propre sein la reconnaissance de l'altérité culturelle en acceptant une véritable inculturation de la foi chrétienne dans les cultures non occidentales. Le passé est lourd en ce domaine. Songeons aux tentatives d'inculturation faites par Matteo Ricci en Chine et par Roberto de Nobili en Inde au XVIIᵉ siècle, qui furent rejetées au début du XVIIIᵉ par l'institution catholique. Songeons à l'imposition faite de nos liturgies latines en Afrique et en Asie, sans parler de nos théologies toujours dominantes aujourd'hui. Il suffit de penser, par exemple, à l'interdiction d'ordonner de nouveaux diacres indigènes dans le diocèse de San Cristóbal de Las Casas au Chiapas (État du Mexique), qui indique clairement que l'autorité romaine n'accepte pas vraiment que se construise un modèle d'Église différent de celui qui est actuellement en vigueur dans l'Occident latin [1].

La mondialisation contient, pour l'Église catholique – pour les autres Églises également –, le message urgent de rendre possible la naissance d'Églises autochtones et donc d'accepter que la foi chrétienne se détache du socle occidental et ensemence d'autres aires culturelles. Nous ne pouvons pas savoir d'avance ce que cela donnera et nous n'avons certainement pas les moyens, à partir de notre propre culture, de décider souverainement de ce qui serait une « bonne inculturation » et une « mauvaise inculturation ». Il faut que le processus soit apprécié de l'intérieur, en dialogue avec les

---

1. Voir *DIAL*, D 2542, 15-31 mars 2002.

autres Églises, mais non par soumission. Il ne peut pas y avoir de véritable inculturation aussi longtemps que le pouvoir reste centralisé dans l'Église catholique comme il l'est aujourd'hui : la mondialisation appelle une Église « culturellement polycentrique », pour reprendre une expression de J.-B. Metz. Une Église culturellement polycentrique ne peut exister que s'il y a pleine reconnaissance de l'autonomie et des pouvoirs des Églises locales et de leurs épiscopats. Une mondialisation qui accepte la pluralité – à l'encontre des menaces d'homogénéisation – est une mondialisation qui sonne aussi le glas d'une certaine pratique du pouvoir dans l'Église.

C'est évidemment une nouvelle façon de concevoir ce que l'on appelle traditionnellement la « mission » ou l'« annonce missionnaire de l'Évangile ». L'historien belge Jean Pirotte remarque : « Et l'annonce chrétienne ? Comment doit-elle se situer face à ces problèmes de mondialisation qu'elle a contribué à mettre en place ? Sans renoncer à l'annonce évangélique, le christianisme doit apprendre à vivre avec d'autres. Après l'ère conquérante, il importe de réussir l'entrée dans celle de la collaboration, en renonçant à trop vouloir "agir sur" les autres, mais plus humblement en acceptant de travailler à "être avec" eux dans la construction du monde [1]. »

---

1. Jean Pirotte, « Annonce chrétienne et mondialisation », *Spiritus*, n° 166, mars 2002.

14

L'Eucharistie
Le Christ avec les pauvres

Quelques rappels préliminaires concernant la symbolique eucharistique seront utiles pour la suite de notre réflexion.

Le pain et le vin sont des éléments de base de notre subsistance : ils sont là, non pour être contemplés au cours de saluts du Saint-Sacrement, mais pour être mangés et bus. L'acte de se nourrir et de se désaltérer est un signifiant de base de la célébration eucharistique.

Cette nourriture est prise collectivement, en peuple. Il s'agit de satisfaire sa faim et d'étancher sa soif au sein d'un partage des éléments qui comblent la faim et étanchent la soif. Ce geste est symbolique, en ce sens que nul ne prétendrait satisfaire sa faim physique en consommant seulement une infime portion de pain, mais cet acte de manducation nous oriente vers une autre manducation, une autre nourriture, tout comme le vin nous oriente vers une autre soif, une autre boisson.

C'est la parole qui oriente l'interprétation de ces signes. Sans elle, nous ne comprendrions pas grand-chose au sens de ce qui se passe. Elle nous annonce que le pain et le vin sont corps et sang du Christ. Il s'agit donc d'un acte d'incorporation au Christ, d'un acte par lequel le Christ se donne lui-même à manger et il se donne ainsi dans un corps social, c'est-à-dire dans la communauté des croyants. Le Christ se partage aux croyants qui le partagent entre eux. Le rapport des hommes entre eux – ici le « corps » des croyants – est un élément constitutif de la célébration.

La parole évoque aussi le repas partagé comme commémoration d'un autre repas, celui que prit le Christ avant d'être mis à mort. Au cours de ce repas, il donne à ses disciples son corps livré et son sang répandu, évocation du sacrifice de la Croix par lequel il va donner sa vie pour tous les hommes. Cet ultime repas s'enracine explicitement dans le contexte de la Pâque juive : il possède une épaisseur historique qui nous livre son ampleur. C'est toute l'histoire de la libération de l'esclavage qui est à jamais célébrée dans toutes les Eucharisties du monde. L'Eucharistie célèbre l'alliance scellée par Dieu dans le sang de son Christ pour la rémission des péchés, et cette alliance s'enracine elle-même dans celle que Dieu fit jadis avec son peuple.

Ainsi nourrie, la communauté présente se construit comme corps du Christ, elle est alimentée pour poursuivre son chemin et devenir signe du Royaume qui vient. L'Eucharistie est orientation vers la fin des temps : le Christ se donne à nous sous le signe du pain et du vin en nous demandant de refaire ce geste jusqu'à ce qu'il revienne.

Il s'agit maintenant de reprendre certains aspects de cette « construction symbolique » qui vont nous mener au cœur des questions soulevées par la mondialisation.

« Le Christ vient à nous avec tous les pauvres. »

Le pain et le vin sont nourriture humaine partagée et cela nous oriente vers le don que le Christ fait de lui-même à l'humanité pour s'incorporer en elle et l'incorporer en Lui.

Dès lors qu'il est question de pain et de vin partagés entre humains, il est question de ceux qui ont faim et soif.

Et il en est ici question dans le rapport même que le Christ entretient avec eux.

Le père Arrupe a écrit : « Dans l'Eucharistie nous recevons le Christ qui a faim dans le monde des affamés. Il ne vient pas à nous tout seul, mais avec les pauvres, les opprimés, ceux qui meurent de faim sur la terre. Par Lui, ces hommes viennent à nous en quête de secours, de justice, d'amour exprimé dans l'action. » Plus loin, il précise que cela conduit les chrétiens à « un nouveau genre de solidarité, à une identification plus profonde avec les pauvres. C'est là un rôle beaucoup plus exigeant, qui appelle notre action dans un grand nombre de domaines : politique, social, économique [1] ». Cette présence des pauvres au cœur de la célébration eucharistique a la dimension même de toute Eucharistie : elle est sans frontières. Le Christ s'est donné pour tous les hommes. Ce sont les pauvres du monde entier, de tous les continents, que nous recevons avec le Christ dans toute Eucharistie. La mondialisation de la pauvreté évoque toute l'extension prise aujourd'hui par la présence des pauvres avec le Christ dans l'Eucharistie.

Leur présence est rappelée par le symbole du pain pour ceux qui ont faim et du vin pour ceux qui ont soif. La densité humaine de ce symbole est capitale. Il ne faut pas passer par-dessus, c'est-à-dire vouloir tout de suite rejoindre une réalité purement spirituelle. Il faut d'abord prendre en compte le sens matériel du pain, qui est de combler l'affamé. C'est le point de départ de la signification du symbole du pain.

Cette signification de l'Eucharistie prend aussi appui sur la passion du Christ qui y est évoquée. N'oublions jamais que la mort du Christ que nous célébrons est la mise à mort d'un exclu : celui qui a été rejeté par les bâtisseurs est

1. Pedro ARRUPE, *La Faim de pain et l'Évangile. Écrits pour évangéliser*, Desclée de Brouwer, 1985 ; cité par Charles ANTOINE, *Le Sang des justes*, Paris, Desclée de Brouwer, 2000, p. 49-50.

devenu pierre d'angle (Ps 118, 22, repris par Lc 20, 17). Il a été crucifié, honteusement suspendu au gibet de la Croix. C'est l'image de tous les exclus de la terre que le Christ laisse percevoir à travers son propre visage. En lui et par lui, sont présents tous les « blessés de la vie » dans la célébration de sa mort. Jésus récapitule en lui toutes les victimes de la mondialisation.

Le sens « eschatologique » de l'Eucharistie, c'est-à-dire son orientation vers la fin des temps, ne peut être compris sans y inclure le visage des affamés. Le symbole du repas a souvent été utilisé par le Christ pour évoquer le bonheur final. Mais il a simultanément utilisé ce même symbole pour exprimer l'ouverture du Royaume en priorité aux pauvres, aux malades, aux estropiés, etc. « Quand tu donnes un festin, invite des pauvres, des estropiés, des boiteux, des aveugles » (Lc 14,12). Tels sont les invités au festin. Ne sont-ils pas, aujourd'hui encore, les premiers invités – et trop souvent les grands absents – de nos célébrations ?

Il y a aussi le repas pris par Jésus au cours duquel il a lavé les pieds de ses disciples, repas qui est souvent interprété comme tenant lieu chez saint Jean de récit eucharistique. En accomplissant ce geste, Jésus se manifeste comme le serviteur et nous révèle ainsi le vrai visage de Dieu. L'Eucharistie est aussi une invitation à nous faire les serviteurs de nos frères, à nous situer du côté des petits, non des puissants de ce monde.

Le témoignage de Pères de l'Église.

Le lien de l'Eucharistie aux pauvres a été mis en valeur par plusieurs Pères de l'Église. Je citerai essentiellement saint Augustin et saint Jean Chrysostome.

Saint Augustin témoigne de cette intuition théologique lorsqu'il prêche ses fidèles en leur disant : « Je voudrais, mes frères, vous pénétrer vivement de cette vérité : donnez le pain de la terre et sollicitez celui du ciel. Le Seigneur est le pain : "Je suis le pain de vie", dit-il (Jn 6, 35). Comment te donnera-t-il ce pain à toi qui ne le donnes pas à l'indigent ? [...] Le Seigneur n'a aucun besoin de nos biens, mais afin que nous puissions faire quelque chose pour lui, il daigne avoir faim dans la personne de ses pauvres. J'ai eu faim, dit-il, et vous m'avez donné à manger [1]. »

Saint Jean Chrysostome va lier de façon saisissante la rencontre du Christ dans l'Eucharistie et sa rencontre dans les pauvres. On ne peut honorer dans son corps à l'église celui qu'on laisse dehors mourir de froid. En effet, c'est le même Christ qui a dit : «Ceci est mon corps» et : «Ce que vous avez fait au plus petit, c'est à moi que vous l'avez fait.» Aussi saint Jean Chrysostome dénonce-t-il avec force les chrétiens qui ne veulent pas voir leur église manquer d'ornements d'or et d'argent alors qu'ils laissent le Christ dehors couvert de haillons : « Tu veux honorer le corps du Christ ? Ne le méprise pas lorsqu'il est nu. Ne l'honore pas ici, dans l'église, par des tissus de soie tandis que tu le laisses dehors souffrir du froid et du manque de vêtements. Car celui qui a dit : "Ceci est mon corps", et qui l'a réalisé en le disant, c'est lui qui a dit : "Chaque fois que vous ne l'avez pas fait à l'un de ces petits, c'est à moi que vous ne l'avez pas fait."... Quel avantage y a-t-il à ce que la table du Christ soit chargée de vases d'or, tandis que lui-même meurt de faim ? Commence par rassasier l'affamé et, avec ce qui te restera, tu orneras son autel. Tu fais une coupe en or et tu ne donnes pas un verre d'eau fraîche ? Et à quoi bon revêtir la table du Christ de voiles d'or, si tu ne lui donnes pas la couverture qui lui est nécessaire ? Qu'y gagnes-tu ? Dis-moi donc : si tu vois le Christ manquer de la nourriture indispensable, et que tu l'abandonnes pour recouvrir l'autel d'un revêtement précieux,

---

1. S. Augustin, *Sermon* 60, 11, 11 ; PL 38, col. 408.

est-ce qu'il va t'en savoir gré? Est-ce qu'il ne va pas plutôt s'en indigner? Ou encore, tu vois le Christ couvert de
haillons, gelant de froid, tu négliges de lui donner un man-
teau, mais tu lui élèves des colonnes d'or dans l'église en
disant que tu fais cela pour l'honorer. Ne va-t-il pas dire
que tu te moques de lui, estimer que tu lui fais injure, et la
pire des injures [1]...»

La façon dont saint Jean Chrysostome évoque la «fonction sacerdotale» porte la marque de cette volonté de ne
pas réduire la présence du Christ à sa présence eucharistique, mais de la voir d'abord comme présence dans les
pauvres. L'autel de chair, c'est-à-dire le pauvre, importe
plus que l'autel de pierre: «Qui pratique l'aumône exerce
une fonction sacerdotale [...]. Tu veux voir mon autel? Cet
autel est constitué par les propres membres du Christ, et le
corps du Seigneur devient pour toi un autel. Vénère-le.
Il est plus auguste que l'autel de pierre où tu célèbres le
Saint Sacrifice. Celui-ci, en effet, est vénérable en raison
de la victime que tu y offres; mais celui-là l'est en raison de
la victime elle-même. Cet autel est vénérable parce que,
tout en étant en pierre, il est consacré par le corps du
Christ qu'il reçoit, mais celui-là parce qu'il est le corps
du Christ. Et toi, tu honores l'autel qui reçoit le corps du
Christ. Cet autel-là, pourtant, il t'est possible de le contem-
pler dans les rues et sur les places et, à toute heure, tu peux
y célébrer la liturgie [2].»

---

1. S. JEAN CHRYSOSTOME, *Homélies sur l'évangile de Matthieu* 50, 3;
PG 58, col. 507-510; trad. dans *La Liturgie des heures*, Paris, Éd. du
Cerf, 1980, t. III, p. 471-472.
2. S. JEAN CHRYSOSTOME, *Homélies sur II Cor*, 20; PG 61, col. 540;
trad. dans *Œuvres complètes*, Paris, Librairie Louis Vivès, 1871,
t. XVI, p. 445.

La collecte pour les pauvres.

Il conviendrait de prendre en compte, en complémentarité de cette approche, la tradition de la collecte faite au cours de l'Eucharistie. Elle a été traditionnellement comprise, dès le début, comme un lien nécessaire entre le partage du pain eucharistique et le partage avec les pauvres. Je n'en citerai qu'un témoin. Justin, un auteur chrétien du IIe siècle, parle de la célébration du dimanche en ces termes : « Le jour que l'on appelle le jour du soleil, tous, dans les villes et à la campagne, se réunissent dans un même lieu : on lit les mémoires des apôtres et les écrits des prophètes [...]. Puis [...] on apporte du pain avec du vin et de l'eau [...]. Puis a lieu la distribution et le partage des choses consacrées à chacun et l'on envoie leur part aux absents par le ministère des diacres. Ceux qui sont dans l'abondance, et qui veulent donner, donnent librement chacun ce qu'il veut, et ce qui est recueilli est remis à celui qui préside, et il assiste les orphelins, les veuves, les malades, les indigents, les prisonniers, les hôtes étrangers, en un mot, il secourt tous ceux qui sont dans le besoin[1]. » La part du pauvre est une part du sacrifice célébré.

Que reste-t-il de cette pratique dans l'esprit des chrétiens d'aujourd'hui ? Ont-ils le sentiment de faire un don dont au moins une partie serait destinée aux pauvres lorsqu'ils donnent au denier du culte ou à la quête du dimanche ? Est-ce une façon pour eux de manifester leur solidarité avec les pauvres ?

Considérée dans la perspective du sens universel de l'Eucharistie, la présence des pauvres n'est pas destinée à rester purement symbolique comme c'est trop souvent le cas dans notre pays. Seule la présence réelle des pauvres

---

1. JUSTIN, *Ire Apologie*, 67, 3-6.

serait à même d'assurer concrètement cette universalité au cœur de nos célébrations. Quand le plus petit n'est pas présent, toute l'humanité n'est pas là.

Les deux voies de la rencontre du Christ.

Paul VI a repris de façon particulièrement significative la tradition théologique ici rappelée. Au cours d'un voyage à Bogota en 1968, il déclara à des paysans pauvres qu'il rencontra : « Vous êtes un signe, une image, un mystère de la présence du Christ. Le sacrement de l'Eucharistie nous offre sa présence cachée, vivante et réelle. Vous aussi, vous êtes un sacrement, c'est-à-dire une image sacrée du Seigneur en ce monde, un reflet qui, loin de le dissimuler, représente son visage humain et divin. Nous nous souvenons de ce que dit un grand évêque plein de sagesse, Bossuet, sur l'éminente dignité des pauvres. Et toute la tradition de l'Église voit dans les pauvres le sacrement du Christ, non pas identique à la réalité de l'Eucharistie, mais en parfaite correspondance analogique et mystique avec elle. Du reste, le Christ nous l'a enseigné dans une page solennelle de l'Évangile où il proclame que chaque homme souffrant, affamé, prisonnier, pauvre, ayant besoin de compassion et d'aide, c'est Lui, comme si Lui-même était ce malheureux [1]... »

La foi nous invite à conjuguer simultanément ces deux voies de la rencontre du Christ, celle qui se réalise dans le partage du pain eucharistique et celle qui se réalise dans le partage avec les pauvres. Au cours de ce même voyage en Colombie, Paul VI parlait du « rapprochement du mystère eucharistique avec la réalité de l'indigence humaine », du « lien devant exister entre le culte eucharistique et le service charitable des frères nécessiteux ». Les deux pers-

---

1. PAUL VI, dans *Acta Apostolicæ Sedis*, 1968, 11-12, p. 620.

pectives se renforcent mutuellement. La rencontre du Christ dans l'Eucharistie n'est pas séparable de sa rencontre dans les pauvres. De même, pour un croyant, la rencontre du Christ dans les pauvres n'est pas séparée de sa rencontre dans l'Eucharistie.

La pratique de la solidarité réelle avec les pauvres conditionne la vérité même de la célébration eucharistique. Une telle solidarité appartient à la substance même de l'Eucharistie. Selon la tradition prophétique, nous savons que Dieu peut détester nos propres liturgies, comme il pouvait avoir en abomination sacrifices, sabbats et pèlerinages au temps de l'Ancienne Alliance parce que, disait-il à son peuple, «vos mains sont pleines de sang. Lavez-vous, purifiez-vous. Ôtez de ma vue vos actions mauvaises, cessez de faire le mal. Apprenez à faire le bien, recherchez la justice, mettez au pas l'exacteur, faites droit à l'orphelin, prenez la défense de la veuve» (Is 1, 16-17). En un mot : «C'est la miséricorde que je veux, non le sacrifice» (Os 6, 6, repris dans Mt 9, 13).

L'Eucharistie, symbole du Royaume qui vient.

La célébration eucharistique nous oriente activement vers l'humanité réconciliée : elle est un chemin qui conduit vers le renouveau du monde en Dieu dans l'espérance de la manifestation du Christ. S'il y a un lieu où peut être célébrée l'absence de barrière entre les hommes, c'est bien l'Eucharistie. Elle est le sacrement de l'unité de ceux qui partagent la même foi, mais, au-delà, elle se veut l'inauguration d'une communauté de justice et de fraternité pour tous les hommes. Comme l'exprime une prière eucharistique : «Comme ce pain, autrefois disséminé dans les champs, a été recueilli pour devenir un, réunis ton peuple dans une même fraternité. Que ton Église, en témoignant de ton amour, rassemble les hommes dans l'unité vers la joie de ton Royaume. » Jésus est mort pour que tombent les barrières. L'Eucharistie célèbre l'unité présente et à venir offerte à tous les hommes.

Nous pouvons considérer l'Eucharistie comme une célébration de ce qu'il y a de positif dans la mondialisation : davantage de rapprochement entre les hommes, plus de reconnaissance, moins d'enfermement.

Elle est aussi, simultanément, dénonciation de ce qui défigure ce mouvement d'unité à l'intérieur même de la mondialisation : accentuation des inégalités, agravation du nombre des pauvres, domination culturelle des nantis, etc.

L'Eucharistie est donc aussi une célébration qui nous engage à faire émerger au cœur même de la mondialisation les signes qui attestent la présence du Royaume. Elle est une invitation pressante à travailler de telle sorte que la mondialisation actuelle, riche de potentialités à développer pour le bonheur des hommes mais aussi source de mort pour tant d'entre eux, se transforme en une mondialisation qui serve réellement le bien-être de tout l'homme et de tous les hommes et donc d'abord des plus démunis.

15

L'Eucharistie
Faire humanité autrement

Avant d'indiquer que l'Eucharistie est le creuset de relations nouvelles au cœur du genre humain, et afin de mieux manifester l'ampleur de cette nouveauté, il faut rappeler une des significations les moins visibles dans nos liturgies : l'Eucharistie est la célébration d'une libération de l'esclavage étendue à toute l'humanité.

Une Eucharistie qui libère les hommes.

L'Eucharistie célèbre le passage, c'est-à-dire la Pâque, par lequel Jésus est passé de ce monde à la maison de son Père. Ce passage s'enracine dans une autre Pâque qu'il n'abolit pas mais assume : celle qui a conduit le peuple juif de l'esclavage subi en Égypte jusqu'à la Terre promise. Comme mémorial de l'Exode, c'est-à-dire de la sortie d'Égypte, l'Eucharistie nous indique que l'unité de l'humanité ne peut pas être recherchée par d'autres voies que celle de la libération des opprimés. Il nous faut absolument garder toute son épaisseur historique à l'Eucharistie en reconnaissant qu'elle s'enracine dans l'aventure collective d'un peuple aspirant à la liberté. Le Christ radicalise la libération historique de l'esclavage, mais ne la supprime pas ou ne la rend pas dénuée d'intérêt comme souvent on en a l'impression à force de « spiritualisation ». Il nous faut prendre garde de restreindre l'ampleur admirable du symbole central de notre foi, en le réduisant à un acte de piété, à une pratique cultuelle supposée d'autant plus réussie qu'elle sera davantage centrée sur un renouvellement purement intérieur. L'Eucharistie célèbre un renouveau qui concerne la totalité de notre vie, personnelle et communautaire, spirituelle et corporelle, présente et à venir. Elle nous renvoie à une unité de l'humanité qui n'est pas construite à partir des puissants, mais à partir de ceux qui sont le moins reconnus dans leur dignité, la cohorte interminable des victimes auxquelles le Christ s'est identifié pour qu'elles accèdent à la vie.

La célébration de l'Eucharistie est donc aussi pour tout croyant un engagement à chercher les voies de la libération des opprimés, sans aucune exclusive, c'est-à-dire de tous les opprimés. L'horizon mondialiste de cette célébration s'articule sur la portée universaliste de la mort du Christ et du dessein de Dieu.

L'Eucharistie au carrefour des relations.

Dans l'Eucharistie, nous célébrons le Christ se donnant aux hommes, ce don étant symbolisé sous la forme d'un pain distribué et mangé. Jésus se donne dans l'Eucharistie comme dans sa propre vie historique : sans s'imposer. Il n'est reconnu que dans la foi. Il est en relation avec nous et nous avec lui. La foi représente notre participation active à cette relation. Par la foi, nous ne sommes pas des consommateurs ou simplement des objets de la miséricorde divine, mais nous sommes des sujets actifs et responsables. Dans l'Eucharistie, nous célébrons une relation de réciprocité avec le Christ. Et devant lui, nous sommes des sujets reliés les uns aux autres. Nous sommes à un nœud de relations, relations du Christ à nous-mêmes, de nous-mêmes au Christ, et relations entre nous.

Bien plus, le Christ n'est pas seul du côté de Dieu : il est avec le Père et l'Esprit. Dans l'Eucharistie, le Christ présent au milieu de nous dans son corps et son sang est celui-là même qui vit éternellement avec le Père et l'Esprit. Dans la célébration, nous nous adressons au Père et nous invoquons l'Esprit. C'est le Christ dans ses liens avec le Père et l'Esprit qui est là. Dans l'Eucharistie, c'est le Dieu Père, Fils et Esprit qui entre en communion avec nous et nous avec Lui. L'Eucharistie est une célébration trinitaire. Par le Christ, nous sommes introduits dans la communion qui unit les Personnes divines entre elles et avec nous. Telle est la dimension relationnelle majeure de notre célébration.

L'Eucharistie est aussi l'inauguration d'un nouvel espace relationnel entre les hommes : celui où, à l'image des Personnes en Dieu, les humains vivent sans confusion ni séparation. Les relations n'abolissent pas les différences, et l'affirmation des différences ne supprime pas les relations. Au contraire, nous sommes d'autant plus nous-mêmes et d'autant plus assurés dans notre singularité que notre relation reconnaît autrui dans sa propre singularité. Il n'y a de communion qu'entre gens qui sont autres.

L'Eucharistie, lieu de la communication aux hommes de la vie relationnelle qui est en Dieu, qui est Dieu, inaugure cette nouveauté dans notre monde et elle l'inaugure comme le début d'une transformation offerte à la totalité du monde. Elle est esquisse de ce que pourraient être les relations au sein d'un monde dans lequel la mondialisation met tout homme en relation avec tout homme. C'est là l'un des grands enjeux de la mondialisation : le réseau humain des relations tissées sur la surface de la terre va-t-il engendrer la négation des différences, le nivellement, l'homogénéité, en un mot une humanité standardisée, où chacun devra être « conforme » à ce qu'est son voisin proche et lointain ? Va-t-il engendrer une humanité où les relations se réduiront à quelques réseaux, où une minorité dominera le reste de l'humanité, décidera seule de tout ce qui est bon pour les autres, ne rendra de compte à personne de ses choix comme c'est déjà très largement le cas ?

L'Eucharistie, comprise dans sa dimension relationnelle, est une dénonciation radicale d'une mondialisation hiérarchisée, excluante, source de discrimination [1]. Mais elle est aussi annonce prophétique d'une autre mondialisation dont nous sommes appelés à être les agents : une mondialisation solidaire, où chaque être humain pourra être lui-même dans l'originalité de sa personne et de sa culture, où chaque être humain pourra partager d'un bout à l'autre de la planète la richesse constitutive des autres êtres humains, une mondialisation où le partage du pain et du vin passe par la reconnaissance de l'autre, une mondialisation où autrui est traité comme un sujet actif, coresponsable de lui-même et des autres et non pas considéré comme un objet d'assistance par ceux qui disposent de tout.

De telles relations ne peuvent naître que sur un terrain où sont mises en place des structures de justice et non dans un monde où les processus d'inégalité s'accroissent au point d'entraîner l'exclusion de millions d'êtres humains.

---

1. Il faut ici signaler le point de vue développé par William CAVANAUGH, dans son livre *Eucharistie et Mondialisation. La liturgie comme acte politique*, Ad Solem, 2001. Il y oppose de façon intéressante la présence du local et de l'universel dans la célébration eucharistique à la mondialisation où, selon lui, le local est absorbé, voire dissous dans l'espace universel, abstrait et homogène de la mondialisation. La mondialisation assure un « simulacre de communion » en nous rendant tous pareils, par opposition à l'Eucharistie qui nous rend « participants les uns des autres dans une mutuelle communion au Corps du Christ » (p. 121).

L'Eucharistie dénonce la caricature des relations humaines en même temps qu'elle célèbre ce qu'il y a déjà de positif dans notre monde.

Eucharistie, Église, monde.

L'Eucharistie est liée à l'Église. Elles sont indispensables l'une à l'autre. Selon un auteur du XIIᵉ siècle, Maître Simon, que cite le père de Lubac : « Dans le sacrement de l'autel, ils sont deux, à savoir le corps vrai du Christ et ce qui est signifié par lui, son corps mystique qui est l'Église[1]. » Le corps du Christ nourrit l'unité du corps des fidèles, le « corps vrai » alimente le « corps mystique ». Le signe du pain et du vin ne renvoie pas seulement au corps et au sang du Christ, mais à la communauté des chrétiens. C'est dans la construction d'une communauté croyante et fraternelle que l'Eucharistie trouve son sens dernier. Il est intéressant de signaler, grâce à l'étude du père de Lubac, qu'à une période antérieure du Moyen Âge ce que l'on désignait comme le « vrai corps » du Christ était l'Église elle-même, l'expression « corps mystique » désignant le pain eucharistique. C'est dire, en d'autres termes, que la finalité de nos célébrations ne consiste pas à « rendre présent » le Christ sous les espèces du pain et du vin mais à le rendre présent dans l'unité de la communauté croyante qui est symbolisée, conjointement au Christ, par le pain et le vin. S'adressant à ses fidèles, saint Augustin leur déclarait : « C'est votre mystère à vous qui est posé sur l'autel du Seigneur ; c'est votre mystère que vous recevez[2]. »

1. HENRI DE LUBAC, *Corpus mysticum. L'Eucharistie et l'Église au Moyen Âge*, Paris, Aubier, 1948, p. 281-282.
2. S. AUGUSTIN, *Sermon* 272 ; PL 38, col. 1247 a.

Il ne faut pas pour autant limiter l'horizon eucharistique à la communauté des croyants car celle-ci doit à son tour être comprise comme l'inauguration d'une unité offerte à l'humanité entière. L'Eucharistie est commémoration de la mort et de la résurrection du Christ : elle doit donc aussi signifier l'extension à l'humanité entière du sens de cette mort et de cette résurrection. Nous ne célébrons pas le fait que le Christ soit mort pour nous mais pour tous les hommes sans exception. Il s'est offert pour celui qui croit comme pour celui qui ne croit pas, il offre un nouvel horizon de vie à tous les hommes, même si beaucoup l'ignorent ou ne sont pas intéressés. Une Eucharistie qui se limiterait aux dimensions de l'Église serait une célébration coupée de sa destination universelle. C'est l'humanité réconciliée que nous annonçons. Non pas une humanité réconciliée seulement au terme ultime et transcendant de l'histoire, mais posant dès maintenant les jalons d'un avenir historique différent. C'est un autre avenir possible pour les hommes que nous annonçons et que nous inaugurons dans le partage fraternel du pain et du vin. Dans l'Eucharistie, nous célébrons aujourd'hui, envers et contre tout, l'espérance active – et donc constructive –, d'une mondialisation au profit de tout l'homme et de tous les hommes. Le pain est là qui nous rappelle la présence des affamés sur notre terre, ceux que le Christ a nourris du pain multiplié. C'est, au cœur de nos Eucharisties, le rappel qu'il n'y a pas de vraie mondialisation si elle n'est pas orientée au profit des victimes auxquelles Jésus a choisi de s'identifier en allant jusqu'à la mort sur la Croix. Mais cette identification n'a pas pour but de laisser les victimes à leur triste sort. La résurrection, que nous célébrons conjointement à la mort du Christ dans l'Eucharistie, leur ouvre dès maintenant la perspective d'une vie nouvelle, une perspective élargie aux dimensions de toute l'humanité.

16

La mondialisation
Un signe des temps?

Nous ne sommes plus au temps où l'on pouvait interpréter en termes de Providence divine les divers événements qui se produisaient aussi bien dans la vie personnelle
que dans la vie collective des hommes, sans parler de la
nature qui reflétait elle aussi la sagesse divine. Le «provi-
dentialisme» est mort. Nous sommes incapables de lire le
dessein de Dieu dans la totalité et le détail de tout ce qui se
passe. Une autre problématique a vu le jour pour répondre,
au moins partiellement, à la question de l'action de Dieu
dans l'histoire humaine : c'est celle des signes des temps.

Pour l'essentiel, les signes des temps ont été fort bien
caractérisés : «ce sont des phénomènes qui, par leur
généralisation et leur grande fréquence, caractérisent une
époque, et par lesquels s'expriment les besoins et les aspi-
rations de l'humanité présente [1]. » Or ce sont de tels phénomènes – les signes des temps – qui vont être interprétés
théologiquement comme des signes de Dieu. Nous sommes

1. Dominique CHENU, citant le rapport d'une sous-commission du
concile Vatican II, «Les signes des temps. Réflexion théologique»,
dans *L'Église dans le monde de ce temps. Commentaires*, t. II, Paris,
Éd. du Cerf, coll. «Unam Sanctam», 1967, p. 208.

invités à «discerner dans les événements, les exigences et les requêtes de notre temps [...] quels sont les signes véritables de la présence ou du dessein de Dieu [1]». Dieu ne se lit pas seulement dans le religieux. Le présupposé d'une théologie des signes des temps est la présence de l'Esprit au cœur de l'évolution de l'humanité : «L'Esprit de Dieu qui, par une providence admirable, conduit le cours des temps et rénove la face de la terre est présent à cette évolution [2].» On a souvent dit que le concile avait été trop optimiste. C'est certainement vrai, mais cela n'annule pas l'intuition fondamentale qui consiste à rechercher l'action de Dieu au sein des grands mouvements positifs qui traversent la vie collective des hommes. Les signes des temps ne sont pas des signes de sainteté personnelle, des qualifications concernant des individus, mais ils concernent toujours des réalités collectives.

D'un point de vue théologique, l'audace de la problématique des signes des temps consiste à procéder à une identification pratique entre un mouvement historique positif, c'est-à-dire bénéfique au bien des hommes, et l'action de Dieu. Elle comprend l'humanisation de l'homme comme le terme actuel d'une action de Dieu en même temps qu'elle est l'objet d'une responsabilité humaine. L'action de Dieu se manifeste, pour le croyant, dans les mouvements de l'histoire humaine qui contribuent à l'humanisation des hommes. Jean XXIII avait procédé, dans son encyclique *Pacem in terris*, à l'énumération de quelques-uns de ces signes des temps (l'expression elle-même ne se trouve pas dans l'encyclique, mais l'idée y est bel et bien) : promotion des classes laborieuses, entrée de la femme dans la vie publique, émancipation des peuples colonisés.

Discerner les signes des temps, c'est donc faire une certaine lecture de notre histoire en recueillant en elle ce qui

---

1. Vatican II, *L'Église dans le monde de ce temps*, p. 208.
2. *Ibid.*, n° 26, 4.

assure un avenir plus humain. Il ne s'ensuit pas que les signes des temps soient dénués d'ambiguïté. C'est, en quelque sorte, à nos risques et périls que nous identifions les signes des temps, car si des critères existent, tous les croyants ne partagent pas nécessairement la même interprétation des évolutions culturelles en cours. Ce qui apparaît aujourd'hui de façon évidente comme une émancipation légitime des femmes aurait fait l'objet, quelques décennies plus tôt, d'une condamnation sans équivoque au nom d'une certaine conception de l'ordre naturel dans la répartition des rôles masculin et féminin voulus par le Créateur. Quant à résoudre la difficulté en déclarant que c'est la « lumière de l'Évangile » qui permet de faire ce discernement, il est clair que, si nécessaire que cette lumière soit, il n'est pas non plus évident qu'elle permette de déchiffrer aisément des événements qui sont à proprement parler inédits.

On comprend aisément que, dans une telle situation, reconnaître un signe des temps, c'est simultanément s'engager dans une certaine direction. Le signe indique une tâche à accomplir. Il sollicite une réponse de notre part. Il n'est pas un objet de contemplation mais invite à une démarche en faveur de l'humanisation de l'homme, elle-même comprise comme une tâche qui nous est confiée par Dieu et qui réalise quelque chose de son désir sur notre histoire. Tout ce qui effectue le bien de l'homme est objet de la bien veillance de Dieu.

La théologie des signes des temps présuppose que faire ce que Dieu veut pour l'homme n'est rien d'autre pour nous que faire ce qui est bon pour l'homme. Il y a coïncidence entre l'humanisation de l'homme et le vouloir de Dieu sur lui, alors même que le vouloir de Dieu sur l'homme pourrait déborder notre simple humanisation (ainsi, certains courants insisteront pour dire que Dieu propose à l'homme plus que son humanisation, mais sa « divinisation »). Cette coïncidence est un postulat qui conditionne toute interprétation théologique des signes des temps, quand bien même nous

pouvons diverger sur le contenu concret de cette humanisation. Mais toutes les divergences ne sont pas pour autant
respectables à un moment donné. Il faut compter avec le
mûrissement de la conscience historique et quelques autres
changements d'ordre plus matériel : il n'est jamais venu à
l'idée de saint Paul que la condition esclavagiste, dans sa
structure objective, pouvait être incompatible avec la foi, or,
de nos jours, qui oserait soutenir que l'on peut être à la fois
chrétien et esclavagiste ? La perception des signes des temps
comme signes de Dieu est éminemment historique, ce qui ne
signifie évidemment pas que l'on peut dire n'importe quoi
à n'importe quelle époque.

Peut-on, au point où nous en sommes, considérer la
mondialisation comme un signe des temps ? Tout au long
des chapitres précédents, nous avons parlé de la mondialisation tantôt en soulignant les maux très graves qu'elle
engendre, tantôt en soulignant le potentiel positif qu'elle
recèle pour l'humanité. La mondialisation est une réalité
historique foncièrement ambiguë. Il ne faudrait pas, au nom
de ses aspects négatifs, refuser ce qu'elle représente de
positif réel ou potentiel, ni, au nom de ce qui peut être
discerné en elle de positif, ignorer les maux réels qu'elle
engendre au détriment des hommes, notamment des plus
démunis. Dès le début, j'ai fait appel à une distinction, que
le Forum social mondial de Porto Alegre a d'ailleurs largement contribué à populariser, à savoir que nous avions
affaire à un type particulier de mondialisation et non pas à
« la » mondialisation, à une mondialisation néolibérale et
non à la mondialisation tout court. Sur la base de cette distinction, on peut dire que les éléments positifs dont le processus de mondialisation est porteur sont détournés de leur
but et pervertis par le néolibéralisme du système économique. Ainsi, la circulation universelle des marchandises
n'a pas pour objectif prioritaire une meilleure répartition
des biens sur l'ensemble de la terre, parce que cette circulation est soumise à la recherche du profit maximum et

non du mieux-être des hommes. De même, l'élargissement
de la concurrence à un niveau mondial est un puissant sti-
mulant de l'innovation technologique, mais il en résulte
une mise en marge de plus en plus totale de ceux dont la
force de travail est dépourvue de qualification et donc
inadaptée à l'usage de techniques de plus en plus sophisti-
quées : au lieu d'assurer un meilleur bien-être pour tous, la
conséquence en est, pour des centaines de milliers d'hommes
et de femmes dépourvus d'une formation suffisante, un
chômage encore plus redoutable. L'utilisation d'internet
développe de façon inouïe l'accès à l'information et à une
communication qui s'étend partout dans le monde : cela est
évidemment positif, mais il y a aussi le revers, à savoir que
l'inégalité mondiale que l'on constate en matière d'accès
à internet ne fait que renforcer l'écart qui existe entre les
nations riches et les nations pauvres. La mondialisation
rend aussi possible l'ouverture à d'autres cultures ; elle
peut donc faciliter l'acceptation des différences et contribuer à évincer le sentiment de supériorité de certaines
aires culturelles sur d'autres. Mais elle peut aussi favoriser,
par opposition, le repliement identitaire et l'intolérance.
Les moyens de communication peuvent permettre à chacun
d'accéder à une meilleure perception de l'unité de l'humanité à travers le monde, mais ils peuvent aussi générer un
nivellement culturel qui ne laisse plus place à la moindre
originalité ou à l'innovation : c'est souvent le plus bas
niveau qui l'emporte. La mondialisation est aussi un atout
positif pour lutter contre certaines maladies, mais, en sens
inverse, les épidémies se répandent plus rapidement grâce
à elle. La mondialisation, ce n'est pas seulement le développement du commerce de biens utiles, mais c'est aussi, très
concrètement, de nouveaux circuits pour la drogue et
l'argent sale. La liste pourrait être allongée presque indéfiniment... En tout état de cause, une juste évaluation de
la mondialisation devrait mentionner tous les bienfaits
potentiels que l'on est en droit d'attendre de ce processus,

bienfaits que le combat contre le néolibéralisme a pour objectif de libérer. Pour cela, il est nécessaire que des contraintes soient imposées pour empêcher que les lois du marché ne soient les lois ultimement régulatrices – ou plus exactement dérégulatrices – de la vie économique. C'est devenu un lieu commun de l'enseignement social de l'Église : il est impossible d'atteindre plus de justice si l'on continue à ne se fier qu'aux lois du marché.

À la suite de toutes ces remarques qui soulignent fortement l'ambiguïté de la mondialisation, peut-on encore voir en elle un signe des temps ? Ne le verrons-nous pas davantage dans le mouvement qui s'oppose, non pas à la mondialisation en tant que telle, mais aux formes actuelles néolibérales qui déterminent son déroulement effectif et contribuent à la victimisation croissante des pauvres ? N'est-ce pas la constitution d'un mouvement planétaire d'« alter-mondialisation » que nous devrions interpréter comme un « signe des temps », donc non seulement comme un mouvement favorable à l'humanisation de l'homme mais encore comme le lieu d'une présence active de Dieu au cœur de notre histoire ? Si une telle affirmation est légitime, comme je le pense, elle n'autorise pas pour autant à bénir tout ce qui se passe dans ce vaste mouvement, mais l'inévitable ambiguïté historique de celui-ci n'autorise pas davantage à ignorer sa positivité. Je dirais volontiers que le mouvement de l'altermondialisation, en vertu même du rapport dialectique qu'il entretient avec la mondialisation telle qu'elle se déroule concrètement – par « dialectique », j'entends un rapport qui reconnaît les potentialités et s'oppose aux méfaits, un rapport qui accueille le positif et lutte contre le négatif – peut être interprété comme un signe des temps. Quant à la mondialisation telle qu'elle se déroule concrètement, elle ne peut à elle seule être qualifiée de « signe des temps » en raison des effets négatifs considérables qu'elle produit, dont les plus faibles sont les premières victimes. Mais ce qui se passe en elle est néanmoins porteur de potentialités que le mouvement de l'altermondialisation, pour peu qu'il se développe davantage à tous les niveaux, y compris celui des institutions internationales, peut faire déboucher sur un bien-être partagé entre tous les hommes. Qu'un mouvement naisse aujourd'hui sur l'ensemble de la planète pour construire une mondialisation à visage humain, voilà un signe des temps qui mérite toute notre attention. Il est absolument indispensable que le processus actuel de mondialisation soit de plus en plus travaillé de l'intérieur par les forces de l'altermondialisation – qui sont tout autre chose que les forces stériles de l'antimondialisation.

La théologie des signes des temps nous enseigne que notre existence profane collective est en elle-même un lieu de la présence active de l'Esprit. Dieu ne se limite pas à occuper un espace particulier qui devrait être identifié comme religieux, sacré ou spirituel : il est présent dans le non-religieux, le non-sacré, le non-spirituel, il est actif dans le développement même des courants historiques profanes d'humanisation, il rend l'homme à lui-même dans la grandeur fragile de sa vie historique, au cœur de sa responsabilité dans le monde. Le Dieu qui fait signe est celui qui se donne dans le mouvement même par lequel l'homme s'humanise. Il est, plus que jamais si l'on peut dire, un Dieu qui fait alliance avec l'humanité de l'homme, au profit de l'homme, quitte à ne pas être toujours reconnu Lui-même au sein de cette marche. Dieu est discrètement à l'œuvre parmi nous. Il a délibérément choisi d'établir sa demeure parmi les victimes jetées à terre comme auprès des opprimés qui redressent la tête. C'est pourquoi il est, au cœur même de notre histoire, celui qui nourrit ultimement l'irrésistible espérance qui nous pousse à transformer une mondialisation néolibérale en une mondialisation solidaire.

Table des matières

Mis en pages par DV Arts Graphiques à Chartres,

en septembre 2003

Achevé d'imprimer par Corlet, Imprimeur, S.A. - 14110 Condé-sur-Noireau
N° d'Éditeur : 13001 - N° d'Imprimeur : 73096 - Dépôt légal : septembre 2003 - *Imprimé en France*